HERBARIUM

HERBARIUM

CAZ HILDEBRAND

MARABOUT

Sommaire

6   *Introduction*

Nom botanique	**Nom commun**	**Nom botanique**	**Nom commun**
10 *Achillea ageratum*	Achillée visqueuse	*64* *Claytonia perfoliata*	Claytonie
12 *Achillea millefolium*	Achillée millefeuille	*66* *Convallaria majalis*	Muguet
15 *Aconitum napellus*	Aconit	*69* *Coriandrum sativum.* . . .	Coriandre
16 *Agastache foeniculum* . . .	Hysope anisée	*70* *Cryptotaenia japonica* . . .	Mitsuba
19 *Alchemilla vulgaris*	Alchémille	*72* *Cymbopogon citratus*	Citronnelle
20 *Allium sativum.*	Ail	*75* *Cynara cardunculus*	Cardon
23 *Allium schoenoprasum* . . .	Ciboulette	*76* *Dysphania ambrosioides.* . .	Épazote
24 *Allium ursinum*	Ail des ours	*79* *Echinacea pallida*	Échinacée
27 *Aloysia citrodora*	Verveine citronnelle	*80* *Elsholtzia ciliata*	Kinh gioi
28 *Althaea officinalis.*	Guimauve	*82* *Eruca sativa.*	Roquette
31 *Anethum graveolens*	Aneth	*85* *Eryngium foetidum*	Coriandre longue
32 *Angelica archangelica* . . .	Angélique officinale	*86* *Euphrasia officinalis.* . . .	Euphraise
35 *Anthriscus cerefolium.* . . .	Cerfeuil	*89* *Eutrema wasabi.*	Wasabi
36 *Apium graveolens*	Céleri branches	*90* *Filipendula ulmaria*	Reine-des-prés
38 *Armoracia rusticana*	Raifort	*93* *Foeniculum vulgare*	Fenouil
40 *Artemisia absinthium* . . .	Absinthe	*94* *Galium odoratum*	Aspérule odorante
42 *Artemisia dracunculus* . . .	Estragon	*96* *Ginkgo biloba*	Ginkgo
45 *Artemisia vulgaris.*	Armoise commune	*98* *Houttuynia cordata*	Houttuynie
46 *Atriplex hortensis*	Arroche des jardins	*101* *Humulus lupulus*	Houblon
48 *Bellis perennis*	Pâquerette	*102* *Hypericum perforatum* . . .	Millepertuis
51 *Borago officinalis*	Bourrache	*105* *Hyssopus officinalis*	Hysope
52 *Calamintha nepeta*	Calament	*106* *Laurus nobilis*	Laurier
55 *Calendula officinalis.* . . .	Souci	*108* *Lavandula*	Lavande
56 *Carlina acaulis.*	Carline acaule	*111* *Levisticum officinale*	Livèche
59 *Chamaemelum nobile.* . . .	Camomille	*112* *Limnophila aromatica* . . .	Ambulie aromatique
60 *Chenopodium album*	Chénopode blanc	*114* *Lonicera*	Chèvrefeuille
63 *Cichorium intybus.*	Chicorée	*116* *Melissa officinalis*	Mélisse

Nom botanique	Nom commun		Nom botanique	Nom commun
119 *Mentha*	Menthe		167 *Rorippa nasturtium-aquaticum*	Cresson de fontaine
120 *Mentha piperita*	Menthe poivrée		168 *Rosa.*	Rose
122 *Mentha spicata.*	Menthe verte		171 *Rosmarinus officinalis* . . .	Romarin
125 *Mentha suaveolens*			172 *Rumex acetosa*	Oseille
« Variegata »	Menthe panachée		175 *Salvia officinalis*	Sauge
126 *Micromeria*	Microméries		176 *Sambucus nigra*	Sureau
128 *Monarda didyma*	Monarde		179 *Sanguisorba minor*	Pimprenelle
131 *Myrrhis odorata*	Cerfeuil musqué		180 *Santolina.*	Santoline
132 *Myrtus communis.*	Myrte		182 *Sassafras albidum.*	Sassafras
134 *Nepeta cataria*	Cataire		184 *Satureja hortensis*	Sarriette des jardins
136 *Ocimum basilicum*	Basilic		187 *Solidago*	Verge d'or
139 *Ocimum basilicum 'Horapha'*	Basilic thaï		188 *Stevia rebaudiana.*	Stévia
140 *Ocimum basilicum*			191 *Symphytum officinale.* . . .	Consoude
var. *purpurascens*	Basilic pourpre		192 *Tanacetum balsamita* . . .	Menthe-coq
143 *Origanum majorana.* . . .	Marjolaine des jardins		194 *Tanacetum parthenium.* . . .	Grande camomille
144 *Origanum vulgare.*	Origan		196 *Taraxacum*	Pissenlit
146 *Panax ginseng*	Ginseng		199 *Thymus*	Thym
148 *Pandanus amaryllifolius* . .	Pandan		200 *Thymus citriodorus*	Thym citron
151 *Papaver rhoeas*	Coquelicot		202 *Urtica dioica.*	Ortie
152 *Pelargonium.*	Géranium odorant		205 *Valeriana officinalis*	Valériane
155 *Perilla frutescens*	Pérille de Nankin		206 *Verbena officinalis.*	Verveine
156 *Persicaria odorata.*	Coriandre vietnamienne		208 *Viola tricolor.*	Pensée sauvage
159 *Petroselinum crispum*				
var. *neapolitanum.*	Persil plat		210 *Les herbes en pratique*	
160 *Portulaca oleracea.*	Pourpier		220 *Index*	
163 *Primula veris*	Primevère officinale		222 *Bibliographie sélective*	
164 *Primula vulgaris*	Primevère commune		223 *Remerciements*	

Introduction

Ceci est un livre d'herbes. Il y a des herbes douces – le basilic, l'angélique,
le pandan – et des herbes aigres – l'oseille, la bergamote, le sassafras.
Il y a des herbes mentholées, des herbes anisées et des herbes amères.
Il y a de hautes herbes qui murmurent et des herbes courtes qui crient.
Il y a des herbes à manger et des herbes à ne surtout pas manger ; certaines
soignent, mais quelques-unes peuvent tuer. Toutes les herbes ne sont pas vertes,
même s'il y a beaucoup d'herbes vertes.

ON PASSE À côté de ce que sont les plantes si on ne saisit pas les multiples dimensions de leurs personnalités : leurs propriétés et histoires variablement médicinales, culinaires, spirituelles, culturelles, magiques. Elles sont toutes fascinantes, chacune avec ses propres histoires à raconter ; j'ai eu très à cœur d'écouter chaque herbe, de la laisser parler pour elle-même. Là où les fleurs font entrer la beauté dans un jardin, les herbes y font entrer, en outre, l'utilité, la vertu et la sagesse.

Geoffrey Grigson, mi-poète, mi-naturaliste, nous rappelle qu'il y eut autrefois une « époque des plantes », « lorsque les plantes étaient d'une importance suprême dans la vie de tous les jours (pas uniquement pour se nourrir) et qu'on leur attribuait une âme, ou un esprit, ce qui fait que de nombreuses plantes devaient être traitées avec respect et cueillies avec précaution ». Les herbes étaient révérées au point qu'elles devaient être cueillies par « le plus argenté des clairs de pleine lune » ; certains herboristes approchaient même la plante à reculons, pour la surprendre. Plus le cueilleur était nu (ou, du moins, pieds nus), mieux c'était. Comme Geoffrey Grigson, je suis plus encline à « bondir vers la plante », tout habillée. Ça a été une prodigieuse entreprise de tenir, être avec, caresser, sentir, renifler, goûter et par ailleurs me documenter sur chacune des cent herbes, une par une et sans exception, de ce livre.

Qu'est-ce qu'une herbe ? Les définitions varient, bien sûr, mais la plus simple pourrait donner quelque chose comme ceci : les herbes sont des plantes utiles aux humains pour l'assaisonnement, l'alimentation, la médecine ou le parfum. Il peut être judicieux de distinguer les herbes des épices : on peut considérer l'herbe comme la partie fraîche et la plus feuillue de la plante, tandis que l'épice en est la graine, la racine ou le fruit séché – bien que ce soit là un territoire assez vague. Les herbes sont généralement utilisées en petites quantités, mais pas toujours : un plat comme le taboulé est largement dominé par le persil. Dans bien des cas, les herbes sont simplement des plantes ayant poussé au mauvais endroit au mauvais moment.

Ce livre s'inscrit dans une longue tradition d'ouvrages associant mots et illustrations tentant de mettre en lumière la beauté et les usages des plantes herbacées.

Les herbiers – du latin médiéval *liber herbalis*, signifiant «livre d'herbes» – ont été parmi les premiers livres produits par les civilisations anciennes ; ils contenaient les connaissances médicales les plus récentes et les plus fameuses des herboristes et apothicaires de l'époque. En Europe, les herbiers ont foisonné pendant les deux cents ans qui ont suivi l'apparition des caractères d'imprimerie, à la fin du xve siècle. Un des premiers herbiers imprimés illustrés de gravures sur bois fut le *Buch der Natur* de Konrad von Megenberg, paru en 1475.

Des herboristes anglais célèbres – John Gerard (1542-1612) et Nicholas Culpeper (1616-1654) – ont été des sources d'inspiration. Curieusement, j'ai écrit ce livre non loin de là où ils ont écrit les leurs, à quelques pas de Herbal Hill, ainsi baptisé pour ses anciens jardins botaniques sur les terres des évêques d'Ely. Bien sûr, ces herboristes précurseurs du siècle des Lumières ont eux-mêmes travaillé avec leurs herbiers du monde classique – le *De materia medica* de Dioscoride et l'*Histoire naturelle* de Pline l'Ancien –, sans compter qu'ils cultivaient leur propre jardin botanique et soignaient des patients de tous les maux de la terre.

L'ambition, dès le départ, était d'illustrer les herbes de manière à créer un ensemble d'éléments formant de beaux motifs. La façon dont nous avons représenté les herbes dans ce livre fait écho à l'histoire de l'illustration botanique, mais avec la nette intention d'en repousser les limites : utiliser un style contemporain, inspiré par le design moderne, des formes géométriques simples et des couleurs lumineuses. J'adore les motifs auxquels cela a abouti – notamment la ciboulette (page 23), le pandan (page 148) et la pimprenelle (page 179) – et j'espère que vous aussi.

Aujourd'hui, des herbes obscures et toujours plus nombreuses font leur entrée dans les supermarchés et les pharmacies et nos goûts se font de plus en plus cosmopolites, aussi, il serait judicieux d'acquérir une meilleure connaissance des propriétés des herbes pour assaisonner nos plats, soigner nos maux, parfumer nos maisons et raviver nos esprits. À bien y penser, il est clair que les herbes ont toujours eu un rôle essentiel à jouer dans les aspects culinaires, médicaux et spirituels de nos vies. Savoir les utiliser de façon adéquate – tout en en appréciant la beauté – est l'objectif de ce livre.

CAZ HILDEBRAND

LES HERBES

Achillée visqueuse

Également appelée « achillée à feuilles d'agératum », elle est cultivée dans de nombreuses régions d'Europe pour son parfum agréable. Au Moyen Âge, elle était utilisée pour parfumer les maisons et en éloigner les insectes, mais elle a longtemps également été utilisée en médecine.

CULTURE

Plantez-en quelques boutures en été et, une fois enracinées, plantez-les dans le jardin en les espaçant de 30 cm. Elle pousse bien également en grands pots.

HARMONIES GUSTATIVES

S'accorde avec le poulet, le poisson, le fenouil, le chou-fleur, les asperges, les pommes de terre, les haricots secs, le riz, les pâtes, les prunes et les pêches.

À ESSAYER

Préparez une infusion d'achillée visqueuse en en plongeant quelques feuilles dans de l'eau chaude pendant cinq minutes, puis sucrez à votre goût si vous le souhaitez. Ajoutez quelques jeunes feuilles aux salades vertes ou aux salades de pomme de terre, ou essayez d'en ajouter aux glaces et sorbets.

PROPRIÉTÉS

L'infusion d'achillée visqueuse pourrait aider à atténuer les symptômes du rhume commun.

COUSINE DE L'ACHILLÉE MILLEFEUILLE (voir page 12), l'achillée visqueuse a été découverte en Suisse en 1798 et est aujourd'hui cultivée sous de nombreux climats tempérés de l'hémisphère Nord. Son feuillage vert vif est adapté aux emplacements les plus venteux, puisque ses tiges sont hautes et solides. Chacune est surmontée de nombreuses fleurs semblables aux pâquerettes, qui sont vivaces et fleurissent jusque tard dans l'automne.

Il est remarquable que cette plante tout en délicatesse soit associée à la puissance d'Achille, le héros grec de la guerre de Troie. On pense que cette espèce a été baptisée en son honneur car c'est lui qui aurait découvert ses propriétés médicinales − propriétés aujourd'hui estimées obsolètes, même si l'infusion d'achillée visqueuse est réputée soigner le rhume.

Ses feuilles dentelées, velues et aromatiques peuvent être utilisées jeunes pour assaisonner soupes, ragoûts, salades de pommes de terre, riz, pâtes et plats à base de poulet, même s'il faut les utiliser avec parcimonie, sans quoi elles masquent les autres ingrédients. En été, cueillez-la en bouquets que vous ferez sécher la tête en bas afin de l'ajouter à des compositions de fleurs séchées.

Achillée millefeuille

Il y a environ 60 000 ans, en Irak, un homme fut enterré dans une tombe avec des fleurs de printemps, parmi lesquelles de l'achillée millefeuille. Toutes avaient des propriétés médicinales, ce qui suggère qu'il était un guérisseur de Shanidar.

CULTURE

L'achillée millefeuille pousse volontiers au soleil. Semez-la en intérieur huit semaines avant la date de la dernière gelée. Une fois plantée, elle nécessite peu de soin. Elle pousse au jardin ou dans de larges pots.

HARMONIES GUSTATIVES

S'accorde avec le poisson, les fruits de mer, le poulet, les pêches, les prunes, la laitue, la betterave.

À ESSAYER

Ajoutez de jeunes feuilles d'achillée millefeuille finement découpées aux salades vertes, en veillant à y inclure des herbes plus douces pour en atténuer l'amertume.

PROPRIÉTÉS

Certaines personnes constatent que boire de la tisane d'achillée millefeuille et de menthe soulage leurs symptômes d'allergies. En teinture externe ou en cataplasme, elle peut soulager les hémorroïdes, les irritations et les gerçures. L'achillée millefeuille peut être utilisée contre l'indigestion, la perte d'appétit et la fièvre. Elle s'utilise dans les oreilles, en teinture et en huile pour favoriser le sommeil et la relaxation. Elle est déconseillée aux femmes enceintes et aux enfants.

Plante commune des bords de route et des pâturages d'Europe, d'Asie et d'Amérique du Nord, l'achillée millefeuille est une herbe ancienne. Son nom latin est en partie issu de celui d'Achille, qui aurait guéri bon nombre de ses soldats avec des feuilles d'achillée aux vertus antihémorragiques, et surtout lui-même (mais, comme on le sait, pas son talon). Membre à longue tige de la famille des Astéracées, l'achillée millefeuille se reconnaît à ses feuilles très ciselées, comme l'indique son nom, qui s'abrège parfois en « la millefeuille ».

Avec ses fleurs dentelées blanches et jaunes qui se balancent doucement dans la brise (leur parfum sucré rappelle la réglisse et leur goût celui de la cardamome), l'achillée millefeuille est parfois appelée « herbe-au-charpentier » : elle s'utilise pour soigner les blessures. Un de ses autres noms est « saigne-nez », car elle a été utilisée au XIXe siècle à la fois pour soigner et pour provoquer les saignements de nez. L'achillée millefeuille a en effet longtemps été utilisée pour tester la fidélité d'un partenaire : on enfonçait l'herbe dans le nez de la personne aimée, puis on la faisait tourner plusieurs fois ; si elle était fidèle, le nez de l'inquisiteur se mettait à saigner.

L'achillée millefeuille a un goût sucré, avec des notes amères pouvant être légèrement envahissantes, mais elle semble perdre son amertume à la cuisson. À l'inverse, la saveur sucrée de l'herbe crue s'accorde bien aux fruits et aux desserts crémeux. Ses fleurs sont un ingrédient essentiel de la bière de bruyère, une bière artisanale à base d'ingrédients sauvages dont le houblon, le miel, les algues et les brins de bruyère.

Aconit

*Extrêmement toxique, l'aconit – également appelé
« casque de Jupiter », « capuche de moine » ou « tue-loup » –
est une plante herbacée vivace principalement originaire
des régions montagneuses de l'hémisphère Nord.*

CULTURE

Belle à regarder, cette plante toxique doit être cultivée hors de portée de main. Plantez-la à l'arrière des plates-bandes, où les enfants et les animaux ne pourront pas accéder facilement.

FIGURANT ICI POUR ILLUSTRER le côté obscur des herbes, l'aconit est hautement toxique. Comme de nombreuses herbes, ses noms le décrivent bien : sur sa haute tige pousse une fleur dont les pétales forment un casque cylindrique rappelant la forme du capuchon des moines. S'il a été nommé « tue-loup », c'est aussi parce qu'il fut une époque où l'on en extrayait les toxines pour tuer les loups. Cette herbe a longtemps été associée aux grands chiens, et Ovide le fait figurer dans la gueule salivante de Cerbère, chien de garde à trois têtes des portes de l'Enfer. *Aconitum* signifie « flèche » en grec, car son jus était utilisé pour enduire la pointe des flèches de poison. *Napellus*, ou « petit navet », fait référence à la forme de ses racines.

Dans son ouvrage du début du XXe siècle, *Modern Herbal* (1931), Maud Grieve a bien du mal à décrire les douleurs atroces entraînées par un empoisonnement à l'aconit : « picotements et engourdissement de la langue et de la bouche, et sensations de fourmillements dans tout le corps ; nausées et vomissements avec douleurs épigastriques, difficulté à respirer, pouls irrégulier et faible, peau froide et moite, traits blêmes, vertiges, stupeur, l'esprit reste clair ». Alors prenez garde.

Et cet avertissement n'est pas à prendre à la légère : l'aconit est une herbe à éviter, même si elle a été utilisée pour apaiser les douleurs de névralgie, de sciatique, d'arthrite, de la goutte, de la rougeole et des problèmes de peau chroniques. Elle est à laisser absolument aux herboristes professionnels.

Hysope anisée

Les agastaches, que l'on peut légitimement considérer comme sous-estimées, font leur retour, avec leurs fleurs en épi et leurs feuilles aux senteurs épicées.

CULTURE

L'hysope anisée est facile à faire pousser à partir de sa graine : faites-la germer en intérieur ou en extérieur, au printemps ou à l'automne. Elle adore les coins ensoleillés comme l'ombre partielle et prospère dans les sols de jardins bien drainés.

HARMONIES GUSTATIVES

S'accorde avec le poulet, le porc, l'agneau, le poisson, les haricots verts, les légumes-racines, les tomates, les courgettes, les framboises, les fraises, les mûres, les abricots, les pêches et les prunes.

À ESSAYER

Ajoutez des fleurs d'hysope anisée finement découpées à votre pâte à sablés. Fabriquez du sucre d'hysope en ajoutant quelques fleurs dans un bocal de sucre en poudre que vous laisserez infuser. Ajoutez-la aux marinades (poisson, poulet et porc). Plongez les têtes de fleurs dans de l'eau bouillante pour faire une tisane – réputée excellente en cas de lendemain de fête difficile.

PROPRIÉTÉS

Les feuilles antibactériennes, en infusion, peuvent aider à soulager la toux et le rhume. Elles peuvent également être utilisées en compresse pour soigner l'angine de poitrine, les brûlures, la fièvre et les maux de tête. Ajoutez-en aux bains de pieds en cas de mycose.

LES FEUILLES ET les minuscules fleurs (formant de longues pointes mauves) de l'agastache probablement la plus connue, l'hysope anisée, originaire d'Amérique du Nord, ont l'odeur et le goût de l'anis et du fenouil, bien que ses tiges et ses larges feuilles texturées montrent qu'elle fait en réalité partie de la famille de la menthe. Curieusement, l'hysope anisée n'est apparentée ni à l'anis, ni à l'hysope, mais parfois en effet elle est appelée « agastache mentholée ». Hautes et droites, ces plantes vivaces à vie courte peuvent atteindre plus d'un mètre, avec de longs épis en goupillon de fleurs mauves, bleues et roses très prisées des abeilles.

Il existe de nombreuses autres agastaches, chacune avec ses parfums et goûts différents, dont la très parfumée et particulièrement jolie hysope mexicaine *(Agastache mexicana)* et la menthe de Corée aux senteurs de menthe verte et de réglisse *(Agastache rugosa)*, une plante vivace à grandes feuilles caduques, rêches et dentelées originaire d'Asie de l'Est. En raison de leurs couleurs et de leurs tempéraments proches, les agastaches poussent bien aux côtés des anémones du Japon et des fleurs ornementales blanches, comme les campanules, ou de la ciboulette, de l'origan et du thym.

Alchémille

N'atteignant jamais plus de 30 cm, l'alchémille est une plante herbacée vivace produisant une multitude de minuscules fleurs jaune-vert et des feuilles arrondies en coupole. C'est à elle que les alchimistes doivent leur nom.

CULTURE

L'alchémille se ressème et peut être plantée en extérieur après la dernière gelée, ou semée en intérieur, puis transplantée.

À ESSAYER

Faites-en une tisane en versant une tasse d'eau bouillante sur deux cuillerées à café d'alchémille séchée que vous laissez infuser jusqu'à dix minutes.

PROPRIÉTÉS

Utilisée en lait pour la peau, l'alchémille peut soulager l'eczéma, les coupures, blessures, plaies et piqûres d'insectes. En décoction, elle peut aussi être utilisée comme bain de bouche contre les aphtes, les saignements des gencives et les irritations de la gorge.

SA FORME LUI A ÉGALEMENT VALU LE SURNOM de « Manteau de Notre-Dame ». Cette herbe a en effet été très admirée par l'Église chrétienne, qui disait d'elle que c'était la « meilleure amie de la femme ». Comme tant d'herbes qui semblent imaginées spécialement pour les femmes – celles dont l'herboriste astrologue Nicholas Culpeper disait qu'elles poussaient « sous Vénus » –, elle a été associée à la mère de Jésus en raison de sa capacité à soulager les douleurs menstruelles et de la grossesse, ainsi que les maux liés à l'allaitement. Historiquement, cette herbe a été utilisée pour ce que nous appelons aujourd'hui la « dépression post-partum ». Et le symbole est d'autant plus fort que la profonde coupole de ses feuilles en fait de parfaits récipients pour recueillir des gouttelettes d'eau et, à une époque, on a doté cette rosée de propriétés magiques. Cependant, il est intéressant de noter qu'il n'y a pas que pour les maux propres au corps féminin que l'alchémille est supposée faire merveille : elle est aussi associée aux qualités de douceur, d'élégance et de grâce, ainsi qu'à la puissance et à l'autorité.

Légèrement démodée de nos jours, l'alchémille pousse en Amérique du Nord, en Europe, en Islande, en Asie et en Sibérie, et on lui a toujours attribué des propriétés médicinales – d'où le terme arabe *alkemelych* (« alchimie ») dans son nom. Malgré son association avec les maux féminins, elle était également utilisée par les soldats aux XVe et XVIe siècles pour cautériser les plaies sanglantes sur les champs de bataille, comme l'a écrit Nicholas Culpeper dans son célèbre ouvrage de botanique.

Allium sativum

Ail

*« Ne mangez ni oignon ni ail, car nous avons à dire
de suaves paroles, et je veux que notre auditoire ait notre
comédie en bonne odeur. »*

WILLIAM SHAKESPEARE, *Le songe d'une nuit d'été*

CULTURE

Cette plante vivace ou biennale très résistante se propagera dans votre jardin si vous plantez les gousses dans un sol riche et humide généreusement ensoleillé.

HARMONIES GUSTATIVES

À peu près tous les ingrédients salés sont rehaussés par l'ail.

À ESSAYER

N'oubliez pas la saveur rétro du pain à l'ail. Mélangez quatre gousses d'ail pressées (ainsi que des herbes émincées si vous le souhaitez) à 130 g de beurre. Faites des incisions le long d'une baguette, en prenant soin de ne pas la transpercer. Enfoncez-y de généreuses quantités du beurre, puis enveloppez dans du papier d'aluminium et enfournez dans un four chaud une quinzaine de minutes, jusqu'à ce que le beurre ait fondu et que la croûte soit bien croustillante.

PROPRIÉTÉS

L'ail est utilisé pour prévenir les maladies cardiaques, l'excès de cholestérol et la tension artérielle, et pour renforcer le système immunitaire. Il peut être pris en complément alimentaire ou sous forme de gousse fraîche au cours du repas.

EN DÉPIT DU FAIT qu'il donne mauvaise haleine, l'ail a longtemps été considéré comme protecteur et permettant d'éloigner divers indésirables comme les vampires, les démons et les loups-garous : on accrochait des gousses d'ail devant les fenêtres et on en frottait les cheminées et les trous des serrures. Les Romains et les Grecs appréciaient l'ail pour la force qu'il donnait aux soldats – chose que la poétesse indienne Sujata Bhatt évoque dans *The Stinking Rose* (« La Rose puante»), un recueil de poèmes dédiés à cette plante. Des recherches ont montré que l'allicine, un acide aminé contenu dans l'ail, peut réduire le taux de cholestérol, la pression artérielle et aider à prévenir le rhume.

Piquant et relevé une fois séché, forme sous laquelle il est généralement vendu, l'ail est bien plus doux consommé cru et frais. Dans les régions méditerranéennes, c'est l'ail cru qui est le plus célébré : écrasé dans les sauces de salade, concassé dans des jaunes d'œufs et de l'huile pour faire un aïoli, mélangé à de la pomme de terre écrasée ou à un jus de citron et de l'huile pour faire une *skórdalia* à tartiner ou en sauce, finement émincé avec du persil pour faire une persillade, ou avec du persil et du citron pour faire une *gremolata* (persillade italienne). Pour une utilisation plus subtile tout en gardant un goût bien présent, l'ail est finement émincé ou haché, puis frit dans l'huile. Lorsque l'on fait griller la gousse entière, la douceur ressort, réduisant sa chair à une pâte molle et collante. Plus la cuisson est longue et moins la gousse est divisée, plus son goût est doux, comme en atteste la rebutante recette du poulet aux quarante gousses d'ail. Le chef érudit Stevie Parle ne fait pas de détours pour évoquer son ingrédient favori : «L'ail est merveilleux». Et en raison de toutes ses utilisations possibles – pour la douceur ou pour l'amertume, émincé ou écrasé –, il ajoute : «Je n'aurai jamais fini d'apprendre à l'utiliser. »

Ciboulette

Le célèbre herboriste Nicholas Culpeper a dû avouer
qu'il avait accidentellement omis de faire figurer
la ciboulette dans la première édition de son encyclopédie
botanique du XVIIᵉ siècle.

CULTURE

La ciboulette est facile à faire pousser, mais veillez à l'arroser régulièrement, car ses racines sont peu profondes. Si vous coupez les brins plutôt que de les arracher, ils repousseront au printemps suivant.

HARMONIES GUSTATIVES

S'accorde avec les avocats, les pommes de terre, les tomates, la betterave, le poisson, les fruits de mer, les œufs, le poisson fumé et le fromage.

À ESSAYER

La ciboulette s'accorde particulièrement bien avec les pommes de terre au four, mélangée à du yaourt crémeux pour accompagner les poissons grillés ou parsemée sur des œufs brouillés. Vous pouvez honorer la plante entière en assaisonnant ses petits bulbes avec du vinaigre pour accompagner les pâtés et viandes froides.

PROPRIÉTÉS

L'allicine contenue dans la ciboulette contribue à faire baisser la tension artérielle. La quercétine – également présente dans la ciboulette – peut aider à diminuer les risques d'infarctus. La ciboulette est une plante aux bienfaits multiples : elle permet d'améliorer la digestion, d'entretenir la santé osseuse et de renforcer le système immunitaire.

C'EST GRÂCE À UN «gentilhomme de la campagne» qui avait remarqué cet oubli que Culpeper décida d'ajouter la ciboulette à l'édition suivante. Peut-être cet oubli avait-il été partiellement volontaire ; en effet, il confie qu'elle «entraîne des troubles du sommeil et nuit à la vue».

Également appelée «civette», les Romains pensaient que la ciboulette pouvait soulager les coups de soleil et les maux de gorge. Après avoir poussé à l'état sauvage en Europe et en Amérique du Nord, elle commença à être réellement cultivée au Moyen Âge, puis est devenue populaire au XIXᵉ siècle. Ce qui est peu étonnant, car elle est riche en vitamine C, en potassium et en acide folique, et on sait qu'elle facilite la digestion et évite la mauvaise haleine.

Plus petite des plantes de la famille des Liliacées (et cousine germaine de l'oignon), longue, verte et ressemblant à de l'herbe, la ciboulette est délicatement parfumée et ajoute une saveur proche de celle de l'oignon aux plats salés. Elle est également simple à préparer : il suffit de la couper à l'aide de ciseaux. Si vous la prenez directement sur la plante, coupez à environ 4 cm du sol pour l'encourager à prendre de la hauteur. Ajoutez toujours votre ciboulette découpée en fin de cuisson pour éviter qu'elle perde son goût. Les fleurs couleur lavande peuvent également être mangées : ajoutez-les aux salades pour un goût de ciboulette plus subtil.

Ail des ours

*Très prisé des ours bruns pour ses feuilles, l'ail des ours
— également appelé « ail sauvage » ou « ail des bois » — est un
cousin proche de la ciboulette, originaire d'Europe et d'Asie.*

CULTURE

Si vous ne trouvez pas d'ail sauvage dans la nature, plantez-en la graine : il pousse facilement dans les sols fertiles, bien drainés et ombragés. Gardez cependant à l'esprit qu'il peut être envahissant.

HARMONIES GUSTATIVES

S'accorde avec les asperges, les champignons, les œufs, les pommes de terre, les pâtes, le riz, le fromage, le poisson, les fruits de mer, l'agneau, le poulet et le porc.

À ESSAYER

Nettoyés et vidés, les poissons comme la truite, le rouget ou le bar peuvent être cuits en papillote d'aluminium, enveloppés d'ail sauvage. Faites-les cuire sur le barbecue environ 25 minutes, en les retournant à mi-cuisson.

PROPRIÉTÉS

L'ail des ours a des propriétés antibactériennes, antibiotiques et antiseptiques, et peut contribuer à diminuer la tension artérielle et le risque d'infarctus. Intégrez-le à votre repas dès que possible.

IL N'Y A RIEN DE TEL que de traverser un parterre d'ail sauvage en se promenant dans un sous-bois frais et humide − et c'est votre nez qui le découvrira le premier. En cueillir au printemps ou au début de l'été est une expérience à vivre. Ses élégantes feuilles pointues ont une douceur et une vivacité, au goût comme à l'odeur, qui rappellent la ciboulette et les oignons nouveaux − ainsi que l'ail lui-même, bien sûr. Ses délicates fleurs blanches sont également comestibles, même si ses feuilles ont meilleur goût avant la floraison. L'ail sauvage est utilisé par les hommes depuis des siècles et semble avoir plus de bienfaits sur la santé que l'ail classique (voir page 20). Les composantes de cette herbe contribuent à améliorer la santé générale et à faire baisser la tension artérielle et le taux de cholestérol. Un conseil à ceux qui souhaitent en cueillir : cherchez-le sur les pentes, où il y a moins de passage d'animaux. Sachez aussi que même si l'ail sauvage est tout à fait comestible, d'autres herbes qui lui ressemblent ne le sont pas, comme le muguet (page 66) et le perce-neige. Pour vérifier que c'est bien de l'ail sauvage que vous avez cueilli, cassez-en une feuille ; vous devez y reconnaître l'odeur âcre propre à l'ail. Veillez à bien le laver avant utilisation.

Ne ratez pas l'occasion de profiter des vertus de l'ail sauvage dans votre cuisine pendant sa saison, qui est très courte. Malgré son odeur prononcée, son goût est étonnamment doux, ce qui en fait un excellent ingrédient pour rehausser vos plats de subtiles notes d'ail. Haché, il parfume agréablement les omelettes, frittatas, œufs brouillés et risottos. Vous pouvez également l'ajouter aux soupes (à la dernière minute, pour ne rien perdre de son parfum) ou le substituer au basilic pour un pesto particulièrement relevé. Blanchi à l'eau bouillante, puis égoutté et écrasé, l'ail sauvage est une excellente base à la mayonnaise maison.

Verveine citronnelle

Pour tout ce qui va de l'esquimau au citron aux tisanes apaisantes en passant par les cocktails d'été, la verveine citronnelle – originaire du Chili et du Pérou – est la meilleure alternative au citronnier dans son jardin.

CULTURE

Il est préférable de faire pousser la verveine citronnelle en pot, afin de pouvoir la rentrer en hiver – elle n'aime pas le gel. Taillez-la régulièrement pour qu'elle reste bien touffue. Ne vous alarmez pas si elle perd ses feuilles, cela ne signifie pas qu'elle est en train de mourir.

HARMONIES GUSTATIVES

S'accorde avec les fraises, les abricots, les pêches, les carottes, les champignons, le riz, les courgettes, le poulet, le poisson.

À ESSAYER

Ajoutez des brins de verveine citronnelle dans votre casserole lors de la préparation de confitures d'abricots, de pêches ou de fraises. Agrémentez généreusement vos salades de riz avec de la verveine citronnelle hachée, ainsi que des tranches d'abricots secs, des pignons grillés et des épices douces telles que la coriandre et la cannelle.

PROPRIÉTÉS

La tisane de verveine citronnelle a des vertus apaisantes et peut soulager des douleurs d'estomac, comme les crampes et les ballonnements. Consommée avant de faire du sport, il a même été prouvé qu'elle prévient les dégâts musculaires dus à l'effort.

DÉPOURVUE DE L'ACIDITÉ du citron, mais gardant une saveur citronnée optimale, la verveine citronnelle est une plante à la fraîcheur enivrante et pure – les Espagnols la cultivaient d'ailleurs pour faire des parfums. Dans *Autant en emporte le vent*, c'est la senteur préférée de la mère de Scarlett O'Hara. En plus d'avoir un arôme délicieux, la verveine citronnelle peut contribuer à renforcer le système immunitaire, diminuer le stress et fortifier le système nerveux.

La verveine citronnelle peut être utilisée en cuisine dès que vous souhaitez ajouter une note fraîche et citronnée : avec le poulet et le poisson, dans les sauces, assaisonnements et salades, ainsi qu'avec les fruits et toutes sortes de desserts. Les esquimaux à la verveine sont une gourmandise d'été rafraîchissante : versez 500 ml d'eau bouillante sur une poignée de brins de verveine citronnelle broyés et 4 cuillerées à soupe de sucre, puis laissez refroidir et réfrigérez. Égouttez, versez dans des moules à esquimaux et enfin passez au congélateur.

Les brins de verveine citronnelle sont également délicieux plongés dans un gin tonic ou infusés dans de l'eau bouillante pour faire une tisane des plus savoureuses et apaisantes. Le mélange de la verveine citronnelle et de la menthe est également excellent en infusion. Si vous avez beaucoup de verveine citronnelle, faites-la sécher au four à la température la plus basse et utilisez-la en pot-pourri ou dans des sachets de lin pour faire des petits coussins d'herbes.

Guimauve

Si elle porte le même nom que la friandise moelleuse couleur pastel de notre enfance, c'est que ses racines étaient à l'origine utilisées pour la parfumer. La guimauve officinale est utilisée en cuisine et en médecine depuis plus de 2 000 ans.

CULTURE

La cultiver demande un peu de patience : plantez-la à l'automne dans des bacs de terreau et en hiver en extérieur, sous une serre. Au printemps, une fois les pousses assez grandes, plantez-les à l'extérieur, en les espaçant de 45 cm. Les guimauves ne fleuriront que la deuxième année, mais il faudra plusieurs années encore avant de pouvoir en récolter les racines.

À ESSAYER

Les Romains considéraient la guimauve comme un beau légume et en farcissaient les cochons de lait. Si vous n'avez pas prévu de faire rôtir un cochon, vous pouvez simplement faire bouillir les racines jusqu'à ce qu'elles ramollissent, puis les éplucher et les faire revenir dans du beurre.

PROPRIÉTÉS

Les racines et les feuilles sont le plus souvent utilisées en teinture, capsules et tisanes. Les teintures peuvent soulager le mal de gorge et la toux sèche. La tisane est efficace contre l'indigestion. Les capsules peuvent être utilisées pour soigner la maladie de Crohn.

POUSSANT LE PLUS SOUVENT PRÈS DE LA MER, la guimauve se dresse fièrement sur les sols salés, et sa tige épaisse et charnue peut atteindre plus d'un mètre de hauteur. Ses racines effilées jaune pâle sont longues, solides et épaisses, avec un extérieur flexible : elles étaient régulièrement consommées avant l'apparition dans notre alimentation de la pomme de terre. Ses feuilles rondes et bosselées ont des bords dentelés et trois à cinq lobes, qui ont presque la forme de l'Afrique lorsqu'on les regarde en louchant (ce qui est étrange étant donné son origine). Elles sont recouvertes d'un fin duvet qui les rend douces au toucher. Les ravissantes fleurs de la guimauve sont généralement blanches, tirant parfois sur le rose, et attirent les abeilles en grand nombre.

Althaea signifie « je soigne » en latin. C'est la forte teneur en mucilages dans toute la plante, et en particulier dans sa racine, qui rend la guimauve si prisée des herboristes et de leurs patients. Des études récentes ont montré qu'elle peut apaiser des muqueuses irritées, la bronchite, le mal de gorge et la toux, l'indigestion et les inflammations cutanées. Ses feuilles séchées peuvent être utilisées en infusion et en teinture. Ses racines sont utilisées en extrait séché, sous forme de capsules, d'onguents, de crèmes et de sirops pour la toux.

Aneth

L'aneth – cousine du persil et parente pas si lointaine du fenouil – est une plante indigène d'Asie de l'Ouest, même si elle est aujourd'hui cultivée partout dans le monde.

CULTURE

Cette plante annuelle se ressème. Plantez-la dans un sol riche, à l'abri des vents trop forts. Placez-la à côté des choux et des oignons, mais à bonne distance des carottes.

HARMONIES GUSTATIVES

S'accorde avec le poisson fumé, les fruits de mer, l'agneau, le bœuf, les champignons, les fèves, les betteraves, les carottes, le chou, le concombre, les pommes de terre, le riz, le yaourt, la crème fraîche, les œufs, le paprika.

À ESSAYER

Fabriquez du beurre à l'aneth : incorporez une grande quantité d'aneth hachée et un peu de jus et zeste de citron dans du beurre mou, reformez une motte, puis enveloppez dans du papier d'aluminium et réfrigérez. Déposez-en une fine tranche sur un steak, des côtes d'agneau, du poisson ou des légumes.

PROPRIÉTÉS

Riche en vitamines A et C, l'aneth consommée régulièrement vous aidera à vous prémunir de l'insomnie, du hoquet, de la diarrhée et des troubles menstruels et respiratoires. Elle peut également renforcer très efficacement le système immunitaire et a des propriétés anti-inflammatoires, elle peut donc contribuer à protéger contre l'arthrite.

CETTE HERBE DÉLICATE est très appréciée dans de nombreux pays. En Serbie, « être l'aneth de toutes les soupes » a le même sens que « être un touche-à-tout » en français. Aux Açores, l'aneth est l'ingrédient le plus important du plat le plus important, la soupe de l'Esprit Saint. Dans le folklore allemand, les jeunes mariées mettent de l'aneth et du sel dans leurs chaussures en guise de porte-bonheur.

Dans de nombreuses langues, comme en anglais où « aneth » se dit *dill*, son nom, dérivé du scandinave *dilla*, signifie « calme » ; c'est en effet une herbe calmante et apaisante, c'est d'ailleurs un composant majeur de l'« eau de rogne » (*gripe water*), inventée par William Woodward au XIXᵉ siècle pour « calmer les bébés agités et soulager les troubles gastro-intestinaux chez les nouveau-nés ». Le philosophe grec Pythagore enseignait que tenir de l'aneth dans sa main gauche aidait à prévenir l'épilepsie.

Identifiable à ses feuilles plumetées et son goût acidulé et doux, l'aneth est un ingrédient essentiel en Russie, en Scandinavie et en Europe centrale et de l'Est. Elle se marie bien avec le saumon, le crabe et les coquilles Saint-Jacques, et c'est dans le prestigieux plat scandinave qu'est le *gravlax* qu'elle est la plus fameuse, mais elle s'apprécie également avec de nombreux légumes et s'associe étonnamment bien à d'autres herbes, comme la menthe, le basilic et le persil. Les Scandinaves parfument la vodka avec de l'aneth, tandis qu'en Turquie et en Grèce, elle est ajoutée aux soupes, aux sauces et aux plats à base d'œufs. Dans les pays d'Europe centrale, elle est utilisée dans les marinades – et, bien sûr, dans les célèbres cornichons à l'aneth, spécialité juive de New York.

Le livre de cuisine romain du IVᵉ siècle *De re coquinaria* (« L'Art culinaire ») propose une recette de ragoût au flamant rose dans laquelle on fait blanchir la chair de cet oiseau dans de l'eau salée additionnée d'aneth en grande quantité. On ajoute ensuite des dattes, des poireaux et un tour de poivrier, avant de « recouvrir l'oiseau de sauce » et de servir. Et, pour faire d'une pierre deux coups, ou du moins deux oiseaux, il ajoute que « le perroquet se prépare de la même manière ».

Angélique officinale

*Poussant de préférence sur les sols humides et peu ensoleillés,
l'angélique est une géante du monde des herbes et, étant donné
les hauteurs qu'elle peut atteindre, du jardin également.*

CULTURE

Plantez les graines d'angélique dans un sol riche et ombragé. Il est judicieux de poser des tuteurs en cas d'emplacement plus exposé, étant donné la hauteur de la plante. Taillez après la floraison.

HARMONIES GUSTATIVES

S'accorde avec les fraises, les framboises, les groseilles, la rhubarbe, les pommes, les prunes et le citron.

À ESSAYER

Faites cuire des feuilles ou des tiges d'angélique avec de la rhubarbe, des groseilles, des prunes ou des pommes. Il est inutile de trop sucrer, car l'angélique compensera l'acidité des fruits. Faites macérer de la rhubarbe ou des fraises dans du sucre additionné de feuilles hachées ou de tiges d'angélique avant d'en faire une confiture. Faites cuire de jeunes tiges d'angélique dans de l'eau bouillante, ajoutez une noisette de beurre et servez comme légume.

PROPRIÉTÉS

L'huile essentielle d'angélique est utilisée pour détendre les nerfs et les muscles. En bain de vapeur, elle peut soulager la bronchite et l'asthme ; ajoutée à l'eau du bain, elle peut aider le système lymphatique et lutter contre les mycoses ; et en crème, elle peut stimuler la circulation, soulager l'arthrite, la migraine, la grippe et le rhume.

CETTE PLANTE VIVACE aromatique, de structure et de taille imposantes – elle peut atteindre un impressionnant 2 mètres –, produit des fleurs blanches ou jaune pâle regroupées en ombelles arrondies sur des tiges creuses. Son nom vient du mot grec *angelos*, qui signifie « messager » (au sens de porteur de bonnes nouvelles), parce que le médecin du XIVe siècle Mattheus Sylvaticus aurait rêvé que l'angélique pouvait guérir la peste (et l'angélique fut en effet utilisée comme remède contre la peste en Angleterre jusqu'à l'époque de Charles II). L'herbe entière est aromatique et dégage une douce senteur musquée lorsqu'on la frotte, et ses fleurs exhalent un parfum de miel.

Cette « herbe aux anges » (Nicholas Culpeper) a de tout temps été utilisée pour soigner tous les maux, de l'indigestion à l'anémie, en passant par la toux et le rhume. Les Aléoutes, peuple d'Alaska, appliquaient traditionnellement les racines bouillies de l'angélique sur les blessures pour en accélérer la cicatrisation. Dans le domaine spirituel, l'angélique a été utilisée pour protéger les maisons et en éloigner le mal, y compris les sorcières. Dans un domaine moins spirituel, ses feuilles écrasées peuvent servir d'assainisseur d'air. L'angélique est souvent vendue confite en décoration sur les gâteaux et desserts. Fraîche, elle peut être utilisée pour parfumer les desserts à base de lait, comme la crème anglaise ou les glaces, ou ajoutée aux confitures.

Cerfeuil

« Le cerfeuil est très utilisé chez les Néerlandais,
dans une sorte de bouillie ou tambouille qu'ils mangent
vraiment, appelée "warmoes". »

JOHN GERARD, *Herbier ou Histoire générale des plantes*, 1597

CULTURE

Le cerfeuil a besoin d'un sol humide et partiellement ombragé. Il pousse rapidement : vous pourrez commencer à le récolter six à huit semaines après l'avoir planté. Coupez d'abord ses feuilles périphériques, pour encourager de nouvelles pousses au centre de la plante.

HARMONIES GUSTATIVES

S'accorde avec les betteraves, les asperges, les carottes, le chou-fleur, la laitue, les champignons, le fenouil, les pommes de terre, les tomates, le citron, le poulet, le veau, les poissons à chair blanche, les fromages à pâte molle et les œufs.

À ESSAYER

Saupoudrez le fenouil rôti de cerfeuil haché pour en accentuer le goût anisé. Assaisonnez vos pommes de terre chaudes de vinaigrette au cerfeuil. Additionnez votre mayonnaise de cerfeuil haché pour accompagner le poisson ou le poulet. Ajoutez une poignée de cerfeuil à votre plat de petits pois chauds et beurrés.

PROPRIÉTÉS

Le cerfeuil est un remède de choix en cas de manque de vigueur et de baisse de moral. Riche en fer, en calcium et en magnésium, le cerfeuil peut stimuler la production sanguine et la santé nerveuse et musculaire.

« LE GAI CERFEUIL » : son nom vient du grec *chaerophyllon*, qui signifie «herbe de réjouissance» − il ressemble au persil, en moins touffu, plus effilé et plus frisé. John Gerard ajoute : «Il est bon pour les vieilles gens : il réjouit et réconforte le cœur, et ravive leurs forces.» Et il est vrai que, dans le folklore européen, consommer cette herbe de réjouissance était conseillé non seulement pour faciliter la digestion, mais aussi pour raviver l'humeur et aiguiser l'esprit.

Cette herbe au goût délicatement anisé peut être difficile à trouver dans le commerce, bien qu'elle soit facile à cultiver au jardin ou sur un rebord de fenêtre. Et il y a effectivement de quoi se réjouir quand on met la main dessus : c'est une herbe aux innombrables utilisations, qui mérite qu'on en expérimente les possibilités. Ce sont les Français qui semblent le plus l'apprécier. Élément essentiel des traditionnelles «fines herbes», avec le persil, la ciboulette et l'estragon, il est souvent ajouté à la sauce béarnaise et est utilisé dans les sauces pour le poulet et le poisson. Il est courant d'ajouter quelques feuilles de cerfeuil aux plats d'œufs, comme les omelettes, les quiches, les œufs brouillés ou en cocotte. Aux Pays-Bas, une soupe très prisée en début d'automne, la *kellerversop*, est faite avec du cerfeuil, des pommes de terre, des échalotes, de la crème et des jaunes d'œufs. Apparenté aux carottes, le cerfeuil s'accorde également très bien avec elles, que ce soit en garniture, en soupe ou en salade.

Édouard de Pomiane, dans son classique *La Cuisine en dix minutes* (1930), qui contribua à révolutionner la cuisine française, recommandait le cerfeuil haché avec du concombre et de la crème : «C'est délicieux.»

Céleri branches

*Cultivé pour ses feuilles plus que pour ses tiges,
le céleri branches – également appelé « ache des marais »
ou « persil des marais » – a un arôme rappelant le persil
et un goût agréablement amer.*

CULTURE

Plantez les graines de céleri dans un sol qui retient l'humidité et arrosez fréquemment. Vous pourrez en récolter les feuilles tout au long de l'été et de l'hiver, mais prenez garde aux limaces.

HARMONIES GUSTATIVES

S'accorde avec le poulet, le porc, l'agneau, le bœuf, le gibier, le poisson, le fromage bleu, les pommes, les noix, les aubergines, le chou, les tomates, les oignons, les pommes de terre, le riz.

À ESSAYER

Ajoutez des feuilles de céleri hachées aux salades de pommes de terre ou de haricots. Mélangez-le à du thon et à de la mayonnaise pour garnir vos sandwichs. Faites cuire les feuilles de céleri dans une sauce tomate à servir sur des pâtes. Mélangez des feuilles de céleri finement découpées à un céleri rémoulade.

PROPRIÉTÉS

Les feuilles de céleri peuvent faire baisser la tension artérielle – elles contiennent des phtalides, qui peuvent diminuer le taux d'hormone du stress dans le sang –, et manger du céleri tous les jours peut faire baisser le cholestérol. Étant antiseptique, le céleri a également des bienfaits en cas de problèmes rénaux et de cystites.

COUSIN ÉLOIGNÉ DU CÉLERI SAUVAGE et plante très ancienne d'Europe, ce céleri trouve son habitat naturel dans les marécages. À la différence du céleri-rave que nous avons l'habitude de voir, le céleri branches est d'une facilité enfantine à faire pousser − et résistant au repiquage. Il est riche en flavonoïdes et en vitamines A et K antioxydantes, ainsi qu'en potassium et en calcium.

Le céleri branches est une excellente plante à faire pousser en pot près de la cuisine. De cette façon, il restera à portée de main pour faire des bouillons, des soupes, des marinades, des *coleslaws* et des plats en cocotte. Toutes ces recettes nécessitant une tige ou deux de céleri-rave s'accommodent généralement très bien de quelques feuilles de céleri branches à la place. Il accompagne également merveilleusement les fromages comme le bleu et le roquefort, et les charcuteries.

Si vous faites pousser votre propre céleri branches, vous constaterez que les plantes ayant passé l'hiver produisent une semence au printemps. Une fois la semence mûrie, couvrez la plante, coupez la tige et secouez pour récolter les graines. Essayez de consommer ces graines en assaisonnement dans les salades de pommes de terre, les plats au chou et les pains, elles leur apporteront une note de muscade ou d'agrumes, ou saupoudrez-les, une fois moulues, de sel de mer pour faire du sel de céleri au goût incomparable. Il est parfait ajouté à un bloody mary.

Raifort

Cette imitation du panais à l'allure inoffensive est en réalité, comme son nom l'indique, une racine du diable au goût si piquant qu'il peut tirer des larmes. La plante en elle-même, avec ses grandes feuilles, porte des fleurs blanches ou jaune pâle regroupées en grappes.

CULTURE

Le raifort est facile à faire pousser, mais envahira votre jardin si vous n'y prenez pas garde. Il préfère les sols bien aérés et humides.

HARMONIES GUSTATIVES

S'accorde avec les betteraves, les pommes, les tomates, les pommes de terre, le chou, la ciboulette, le bœuf, le jambon, le poisson fumé, les coquillages, les noix, les œufs et la crème.

À ESSAYER

Ajoutez une grosse cuillerée de raifort râpé à la viande de vos hamburgers. Faites une sauce à servir avec le poisson fumé ou les pains de poisson en mélangeant du raifort râpé à de la crème fraîche, de la ciboulette et un peu de jus de citron.

PROPRIÉTÉS

Le raifort est un puissant stimulant de la circulation, avec des propriétés antibiotiques. Il a été utilisé pour soigner la toux et la congestion des sinus et, râpé dans un cataplasme, il s'applique sur les engelures et les raideurs musculaires.

PLANTE VIVACE ORIGINAIRE d'Europe de l'Est et d'Asie de l'Ouest, le raifort au goût âcre rappelant celui de la moutarde est une racine d'herbacée aux propriétés à la fois médicinales et culinaires. Il a probablement d'abord été utilisé à des fins culinaires en Russie, avant de s'étendre en Europe de l'Est et en Amérique du Nord. C'est un ingrédient de base de la cuisine juive ashkénaze, notamment du *chrain* – un condiment servi avec la carpe farcie ou le bœuf bouilli et de la betterave râpée. En Grande-Bretagne, il est l'accompagnement traditionnel du *roast beef*.

Bien qu'il ne s'agisse pas d'un radis, le raifort fait comme lui partie de la famille des crucifères, il est le cousin des navets, des choux et – sans surprise – de la moutarde. Avant d'être épluchée, cette racine ne dégage aucune odeur avertissant de son goût. Lorsqu'on l'épluche et la râpe, les essences piquantes et une substance contenant du soufre appelée « sinigrine » sont activées (et les larmes coulent). Faire une sauce au raifort est un passage rituel pour tout apprenti cuisinier. Parfois appelé «radis de cheval» ou «moutarde des Allemands», il sert à fabriquer un substitut du wasabi dans le monde entier, y compris au Japon.

C'est quand il est déterré en automne que le raifort frais – plein de calcium, de sodium, de magnésium et de vitamine C – a le goût le plus piquant. Il perd son âcreté à la cuisson, c'est pourquoi il est généralement servi cru. Légèrement chauffé seulement, la rudesse de son goût peut être atténuée en l'associant à un ingrédient plus doux, comme la pomme ou la crème.

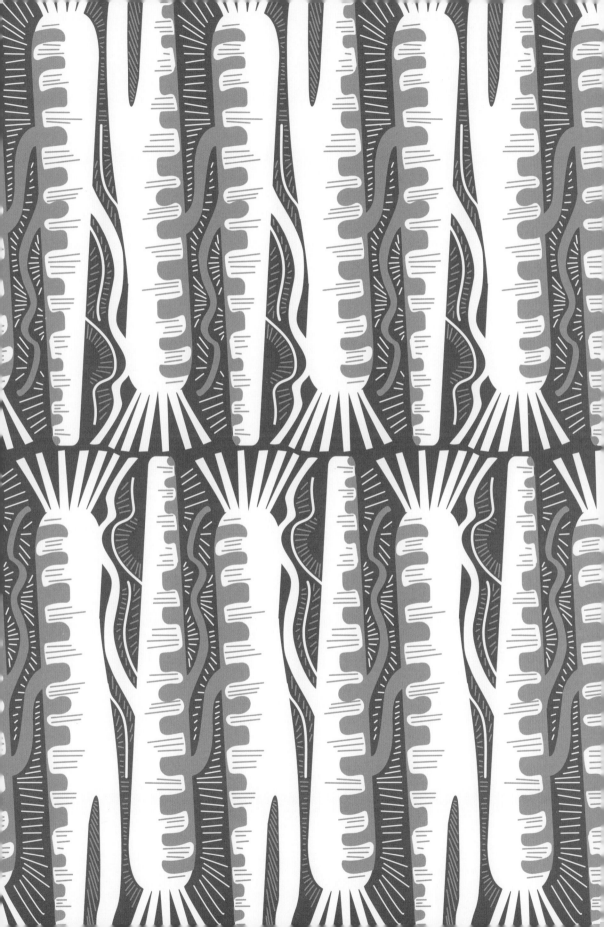

Artemisia absinthium

Absinthe

*Herbe à la sombre réputation, l'absinthe est surtout
connue pour la boisson qui porte son nom
et qui fut interdite au début du XXe siècle.*

*Herbe à la sombre réputation, l'absinthe est surtout
connue pour la boisson qui porte son nom
et qui fut interdite au début du XXe siècle.*

CULTURE

Si vous n'en trouvez pas à l'état sauvage et êtes intrigué, vous pouvez faire pousser de l'absinthe en en plantant les graines sous protection, en utilisant du compost d'écorces. Puis mettez-la en terre quand les jeunes pousses sont assez grandes pour être manipulées. Ne la faites pas pousser dans les jardins fréquentés par les enfants ou les animaux.

L'ABSINTHE – SURNOMMÉ LA « FÉE VERTE » – était le vice des écrivains et des artistes de la fin du XIXe siècle. Dans son célèbre roman *L'Assommoir* (1877), Émile Zola évoque la « voix rauque » de l'absinthe, le regard vitreux et la main poisseuse de celui qui la boit régulièrement. C'était le poison élu (avec ses 80 % d'alcool) par Van Gogh, Baudelaire et Rimbaud et, après une nuit particulièrement arrosée de « fée verte », Toulouse-Lautrec fut pris en train de tirer sur des araignées, persuadé qu'elles s'apprêtaient à l'attaquer.

Avec ses feuilles ciselées gris argenté, ses tiges au fin duvet soyeux blanc et ses petites fleurs jaunes globulaires, l'absinthe pousse à l'état sauvage sur les terrains à l'abandon d'Europe, d'Afrique et d'Amérique du Nord. Plante au goût dominé par l'amertume, elle contient de la thuyone, un composant toxique qui, bien que probablement inoffensif dans les spiritueux comme l'absinthe et le vermouth, peut être dangereux à consommer tel quel, entraînant crises d'épilepsie, vomissements et même paralysies.

La légende raconte d'ailleurs que l'absinthe a poussé sur les traces laissées dans l'herbe par le serpent lorsqu'il a quitté le jardin d'Éden. Jadis, on l'accrochait devant les portes des maisons pour éloigner les mauvais esprits, et elle a même été ajoutée à l'encre pour empêcher les souris de ronger les vieilles lettres. L'absinthe, *wormwood* en anglais, a longtemps été utilisée comme vermifuge, pour déloger les ascaris et oxyures (attention : sa consommation régulière peut entraîner des convulsions) et, aujourd'hui encore, elle est mélangée à la lavande et à la menthe séchées pour faire un antimite.

Estragon

Si l'on en croit le poète américain Ogden Nash,
« Henry VIII a divorcé de Catherine d'Aragon en raison
de son usage immodéré de l'estragon ».

CULTURE

Plantez-le dans un sol bien drainé, légèrement alcalin, en plein soleil. Cueillez-en les feuilles avant qu'il fleurisse.

HARMONIES GUSTATIVES

S'accorde avec les œufs, le poulet, le bœuf, le veau, le porc, le poisson, les fruits de mer, les pommes de terre, les tomates, les courgettes, les betteraves, les artichauts, les asperges, les carottes, la moutarde, la crème, le fromage de chèvre, les prunes, les poires, les pêches et les framboises.

À ESSAYER

Pour faire un vinaigre à l'estragon, mettez deux poignées d'estragon haché dans un bocal et couvrez de vinaigre de vin blanc. Fermez hermétiquement et conservez à l'abri de la chaleur pendant deux ou trois semaines, en secouant le bocal de temps à autre. Filtrez, puis versez dans une bouteille stérilisée, en ajoutant une ou deux branches d'estragon frais. Refermez soigneusement.

PROPRIÉTÉS

L'estragon est une bonne source de fer, qui stimule la production de globules rouges, ce qui à son tour favorise le passage de l'oxygène dans le système circulatoire. Il contient également du calcium et de la vitamine A, bénéfiques pour les os et les yeux.

IL EST VRAI que l'estragon était un composant essentiel du jardin botanique des Tudors, mais sous l'appellation un peu plus inquiétante d'« herbe dragon ». Son nom latin est en effet sans équivoque : *dracunculus* est un dérivé du mot signifiant « dragon », et l'estragon était réputé soigner les morsures de serpent. En français moderne, il signifie tout simplement « petit dragon ».

Bien entendu, il n'a cependant pas un goût ardent comme les flammes : son parfum est chaleureux et raffiné, avec de subtiles notes de réglisse. Cette herbe a de tout temps été un incontournable de la cuisine française : la plupart des cuisiniers ont le poulet à l'estragon dans leur répertoire, et c'est l'une des plus fameuses « fines herbes », au même titre que le persil, le cerfeuil et la ciboulette ; il est le plus souvent servi avec les plats de viande, de poisson et d'œufs. La sauce béarnaise, accompagnement classique des steaks, ne serait rien sans les notes anisées de l'estragon pour alléger un peu ce mets si riche. Le vinaigre à l'estragon est quant à lui indispensable pour parfumer un peu les sauces et assaisonnements de salade. Comme beaucoup d'herbes au goût anisé, l'estragon est un accompagnement aussi étonnant qu'agréable pour les fruits : essayez-le avec des pêches, des prunes, des framboises ou des poires, mais veillez à avoir la main légère.

« Même le ver qui vit dans une pierre mange des herbes. » Avec ce proverbe perse, l'auteur gastronomique et anthropologue culturel Claudia Roden explique la coutume perse ancienne qui veut que les femmes mangent un bol d'herbes fraîches avec du pain et du fromage à la fin d'un repas : « Selon une vieille croyance, cela permettrait d'éloigner les rivales de leurs maris. » L'estragon faisait partie de ce mélange – avec la ciboulette (page 23), la menthe (page 119) et l'aneth (page 31). Mais en réalité, toutes les herbes font l'affaire, mélangées dans un bol.

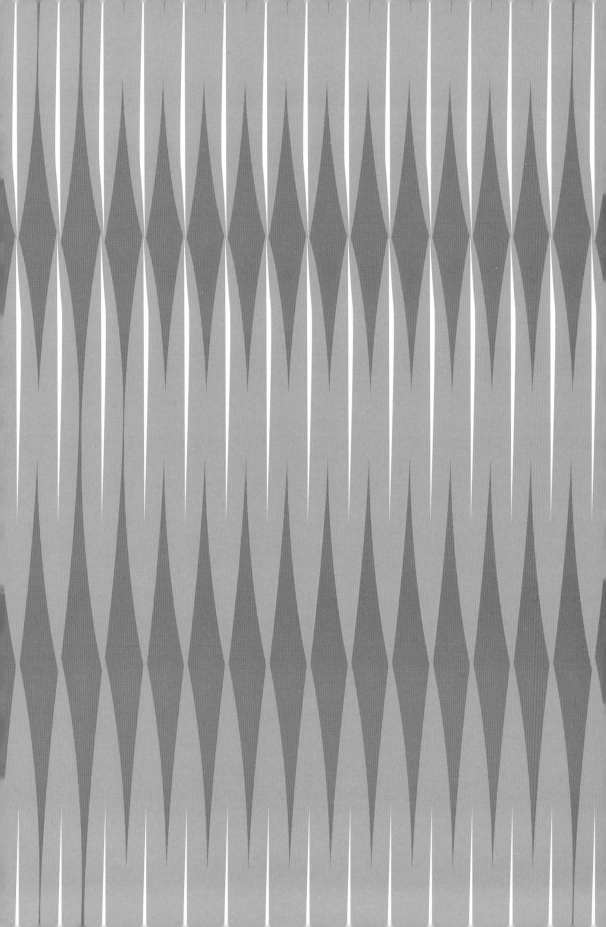

Armoise commune

Connue depuis l'Antiquité, elle était déjà très prisée des Gaulois. L'armoise est la première herbe mentionnée dans une célèbre chanson anglo-saxonne du Xe siècle, Les Neuf Herbes sacrées.

CULTURE

Faites pousser l'armoise en plein soleil et dans un sol riche et humide, et récoltez-la avant qu'elle fleurisse. Prenez garde : elle peut devenir indomptable.

HARMONIES GUSTATIVES

S'accorde avec les haricots secs, le gibier, le canard, l'oie, les poissons gras, le porc, les oignons, le riz, les pommes de terre, les nouilles.

À ESSAYER

Ajoutez quelques brins d'armoise à une farce ou une sauce aux pommes pour accompagner le canard ou l'oie. Substituez-la au cresson dans une soupe de pommes de terre au cresson.

PROPRIÉTÉS

L'armoise est utilisée en moxibustion, un traitement sur le même principe que l'acupuncture, dans lequel de l'armoise séchée et moulue, puis colmatée en bâtonnets de la taille d'un cigare, est brûlée sur la peau des patients pour renforcer le système immunitaire, la circulation sanguine et l'énergie vitale. La tisane d'armoise purifie le foie et favorise une bonne qualité de sommeil.

LES NEUF HERBES SACRÉES fait partie du *Lacnunga*, ou *Manuscrit Harley 585*, un recueil de textes botaniques anglo-saxons. Les Anglo-Saxons avaient besoin de très nombreux remèdes : ils croyaient que les maladies étaient transmises par des toxines en suspension dans l'air. Chansons, sel, eau et herbes étaient tous utilisés pour soigner. Les praticiens étaient encouragés à chanter *Les Neuf Herbes sacrées* trois fois – dans la bouche du blessé, dans ses oreilles et sur sa blessure – avant d'appliquer le baume dont la recette était contenue dans la chanson. « Rappelle-toi, armoise, disent les paroles, tu agis contre le poison et contre les miasmes, tu agis contre l'abomination qui parcourt le pays. » Aujourd'hui, l'armoise est utilisée pour stimuler la digestion et la fonction hépatique, et pour apaiser le système nerveux – mais elle doit être évitée pendant la grossesse.

Plante herbacée vivace poussant à l'état sauvage à travers l'Amérique du Nord et du Sud, l'Europe et l'Asie, l'armoise sent le genièvre et le poivre, avec une petite touche de menthe douce et un arrière-goût légèrement amer. Elle s'accorde bien aux poissons et viandes gras, comme le canard ou l'oie, car elle facilite la digestion. Au Japon, elle est souvent servie avec les gâteaux de riz et les nouilles de sarrasin ; en Corée, le *ssukguk* est une soupe traditionnelle faite d'armoise et de palourdes ; en Allemagne, c'est une herbe très appréciée, appelée *Gänsekraut*, ou herbe aux oies, souvent ajoutée aux jus de viande.

Arroche des jardins

Son nom vient du latin aurago, *qui signifie « doré ».*
Cultivée à la fois en Europe et en Asie tempérée, l'arroche,
qui a un air de famille avec l'épinard,
appartient à la famille des Chénopodiacées.

CULTURE

Plantez des graines d'arroche deux ou trois semaines avant la date prévue des dernières gelées. L'arroche peut pousser tout en hauteur et atteindre 2 mètres, mais elle restera touffue si vous en récoltez les feuilles régulièrement. Elle apprécie la chaleur et le soleil.

HARMONIES GUSTATIVES

S'accorde avec les épinards, l'oseille et autres légumes-feuilles, le fenouil, les pommes de terre, l'agneau, le gibier et le poisson.

À ESSAYER

Ajoutez de jeunes feuilles d'arroche rouge à vos salades pour leur donner de la couleur. Faites revenir de l'arroche dans de l'huile d'olive avec un peu d'ail broyé, puis servez avec du poisson grillé ou de l'agneau. Ajoutez de l'arroche saisie à la poêle à un risotto ou à un riz pilaf pour donner une couleur légèrement rosée au riz.

PROPRIÉTÉS

Comme les autres herbes à feuilles vertes, l'arroche stimule la digestion, réduisant ainsi les risques de constipation. Elle a également des effets légèrement laxatifs et diurétiques, ce qui stimule le système urinaire et contribue donc à purifier les reins. Sa forte teneur en vitamine C en fait un excellent coup de pouce au système immunitaire.

ANCIENNEMENT APPELÉE « épinard des montagnes », elle est encore aujourd'hui recommandée par un site Internet vantant les mérites de « l'épinard des montagnes pour les joyeux drilles » − même si elle n'est pas apparentée au légume préféré de Popeye. En réalité, l'arroche était populaire dans l'Angleterre du XVIᵉ siècle, où, d'après l'herboriste William Salmon, elle poussait « sur les murs, les vieilles palissades, au bord des fossés et sur les tas de fumier ». Elle finit cependant par être éclipsée par l'épinard, qui est devenu plus facile à cultiver et dont les feuilles sont plus savoureuses.

L'arroche sauvage peut être assez amère, même si l'espèce cultivée a un goût plus onctueux, aux accents de fenouil. Comme l'épinard, elle perd beaucoup d'eau à la cuisson. Il existe plusieurs variétés d'arroche, aux jolies feuilles fuselées rouges, blanches ou vertes. L'arroche verte peut avoir des tiges tirant sur le rouge, tandis que l'arroche rouge a des feuilles et des tiges d'un superbe rouge profond. Comme l'épinard, l'arroche contient de nombreux nutriments, dont la vitamine C (deux fois plus que le citron), de la vitamine K, et une grande quantité de calcium, de carotène et de fer. Prudence, cependant : comme l'épinard, elle contient des quantités non négligeables d'acide oxalique, qui forme les sels insolubles contenus dans les calculs rénaux.

Pâquerette

« Pâquerette, pâquerette, réponds-moi, je t'en prie.
Me voilà à moitié fou, fou de l'amour que j'ai pour toi. »

HARRY DACRE, *Daisy Bell*, 1892

CULTURE

Si les pâquerettes ne poussent pas déjà dans votre jardin, vous pouvez en acheter des graines chez un pépiniériste. Semez-les dans un sol riche, humide et bien drainé, en plein soleil.

HARMONIES GUSTATIVES

S'accorde avec les salades vertes, les salades de fruits, s'utilise pour garnir les gâteaux, gelées et mousses.

À ESSAYER

Faites frire des pâquerettes enrobées de pâte à *tempura*, égouttez-les sur du papier absorbant, puis servez-les saupoudrées de sucre. Faites une tisane de pâquerettes : ajoutez des pâquerettes à de l'eau encore frémissante, laissez infuser cinq à dix minutes, puis égouttez et dégustez cette boisson au parfum subtilement citronné.

PROPRIÉTÉS

La pâquerette peut être utilisée en application locale sur les petites blessures, plaies et démangeaisons. En teinture, elle peut servir de bain de bouche contre le mal de gorge, et en mâcher les feuilles peut soulager les aphtes.

UTILISÉE PAR L'HERBORISTE John Gerard comme remède pour soigner les plaies et les troubles hépatiques, la pâquerette commune est une plante herbacée très appréciée. Parfois surnommée «petite marguerite» ou «fleur de Pâques», la pâquerette est une plante vivace, qui forme une rosette de feuilles en cuillère avec des fleurs à la forme simple et classique, au cœur jaune et aux pétales blancs. La célèbre comptine incite les enfants à arracher les pétales un à un en disant : «Elle m'aime un peu, beaucoup, passionnément, à la folie...» pour deviner s'ils sont aimés en retour. En langue russe, cette comptine a d'ailleurs une charmante variante : «Elle m'aime, elle ne m'aime pas ; elle m'embrasse, elle ne m'embrasse pas ; elle me serre sur son cœur, elle ne me serre pas ; elle m'envoie au diable, elle ne m'y envoie pas...»

Outre qu'elle est utilisée dans les répulsifs contre les insectes à base d'infusion de ses feuilles, on attribue depuis longtemps à la pâquerette des vertus cicatrisantes. Une étude récente semble le confirmer. Elle a également été utilisée pour apaiser la toux, le rhume et le catarrhe. L'analyse moderne de cette plante a en effet montré qu'elle contient plus de vitamine C que le citron.

Les jeunes pousses de pâquerettes sont délicieuses crues comme cuites. Ajoutez-en les bourgeons et fleurs aux salades − leur saveur douce-amère aux notes de miel s'accorde à merveille avec la laitue. Et elles sont bien sûr du plus bel effet ajoutées aux salades de fruits et en guise de décoration sur les gâteaux.

Bourrache

Comme le dit un vieil adage :
« Bourrache, fleur courage. »

CULTURE

La bourrache a besoin d'un coin qui lui soit réservé pour pousser. Plantez-en la graine dans un sol bien drainé après la dernière gelée. Laissez la plante produire des graines et se ressemer.

HARMONIES GUSTATIVES

S'accorde avec le poisson, l'anguille, les pommes de terre, les petits pois, le concombre, les fromages frais et les fruits.

À ESSAYER

Saupoudrez vos salades de fleurs de bourrache. Mélangez-en quelques jeunes feuilles hachées (elles deviennent trop piquantes en vieillissant) dans une soupe de pois d'été. Faites doucement revenir des demi-lunes de concombre épluchées et épépinées dans du beurre pendant environ cinq minutes, puis ajoutez de jeunes feuilles de bourrache hachées par-dessus, ainsi qu'un jus de citron et un peu de sel.

PROPRIÉTÉS

Les feuilles séchées peuvent être utilisées en tisane, ce qui aiderait à faire baisser la fièvre (le nom arabe de la bourrache signifie « père de la transpiration »). La bourrache peut être prise en complément ou sous forme d'extrait liquide pour ses acides gras essentiels et sa haute teneur en calcium et en fer.

PRINCIPALEMENT UTILISÉE EN salade, la bourrache était considérée par les premiers herboristes comme porteuse de bonne humeur et de courage. Le savant du XVIIe siècle Robert Burton faisait figurer la bourrache sous la gravure de la page de garde de son œuvre classique *L'Anatomie de la mélancolie* (1621), « pour alléger le cœur de ces noires vapeurs qui le meurtrissent ».

On voit bien que cette herbe a suscité l'intérêt des herboristes pour des raisons médicinales, le mot latin *officinalis* signifiant « utilisé en médecine » − et venant lui-même de *officina*, qui, à l'origine, signifiait « atelier », avant de prendre le sens de « réserve monastique », puis de « pharmacie ». Il s'agit en effet d'une herbe de pharmacie : elle a été utilisée pour traiter les maladies pulmonaires et les inflammations des muqueuses et des voies respiratoires. Les feuilles et les fleurs de bourrache sont riches en potassium et en calcium, ce qui peut contribuer à purifier le sang.

La bourrache a des feuilles rugueuses et velues et des fleurs bleues (ou, plus rarement, blanches et roses), très appréciées des abeilles. Elle est également très prisée des jardiniers, car elle reste colorée toute l'année, même si elle a tendance à se faire envahissante, ce qui oblige à la maintenir en place.

Les fleurs de bourrache sont souvent utilisées pour décorer un cocktail Pimm's en été. Du fait de la douce saveur de concombre de ses fleurs et de ses feuilles, elle est souvent associée au concombre dans les salades. Dans certaines régions méditerranéennes, ses feuilles sont préparées et consommées comme des légumes.

Calament

Le calament, qui s'épanouit dans les sols
sableux, dégage une forte senteur de camphre lorsque
l'on en écrase les feuilles.

CULTURE

Le calament est une excellente plante de bordure, mais veillez à ne pas le laisser envahir le reste du jardin. Il pousse très bien en pot de terre bien drainée, en particulier en plein soleil.

HARMONIES GUSTATIVES

S'accorde avec les artichauts, les haricots verts, les champignons, les aubergines, les pommes de terre, le poulet, l'agneau, le bœuf, le lapin, le poisson, les fruits de mer et le citron.

À ESSAYER

Ajoutez du calament à des courgettes, aubergines ou champignons sautés, avec un peu de piment si vous le souhaitez. Saupoudrez-en vos plats de pâtes ou risottos, ou mettez-en dans vos farces destinées aux légumes.

PROPRIÉTÉS

Le calament est depuis longtemps utilisé comme herbe médicinale, sa forte teneur en menthol le rendant très appréciable en cataplasme sur les hématomes et contusions.

ON DIT QUE LE NOM « CALAMENT » vient du grec *kalos*, qui signifie «bon» ou «noble», en raison de l'ancienne croyance selon laquelle cette herbe pouvait sauver du regard pétrifiant du basilic, ce roi imaginaire des serpents.

Le calament est une herbe touffue à tige épaisse, avec des feuilles très nervurées et un feuillage velu et crépu. *Calamintha nepeta* est en réalité une sous-espèce de calament estimée avoir de plus grandes qualités que les autres variétés. Il forme une masse compacte de feuilles brillantes et fortement dentelées rappelant celles de l'origan, avec des fleurs rose-mauve et un parfum entre la menthe et la marjolaine : c'est votre nez qui le détectera le premier. Il pousse avec profusion à l'état sauvage et ne nécessite que très peu d'eau.

Appelé *nepitella* ou *mentuccia* en Italie, le calament est un ingrédient incontournable de la cuisine toscane. À Rome, il est mélangé à de la chapelure, de l'ail, du persil et de l'huile d'olive pour garnir les artichauts, et est également ajouté aux tripes.

Souci

« Qu'éclosent encore en rond tes lumineux replis,
Ô ardent souci ! »

JOHN KEATS, *J'étais dressé sur la pointe*
des pieds sur une petite colline, 1816

CULTURE

Le souci s'épanouit pleinement dans les sols modérément fertiles et bien drainés. Plantez-le directement au jardin dans un sol tiède, ou faites-le germer en intérieur six semaines avant la dernière gelée. Il se porte aussi bien en pot.

HARMONIES GUSTATIVES

S'accorde avec le riz, les œufs, les feuilles de salade, les poivrons, les betteraves, la crème, le poisson, le poulet et les fromages à pâte molle.

À ESSAYER

Pour leur donner une couleur vive et les parfumer délicatement, ajoutez des pétales de souci au riz ou aux plats d'œufs en cours de cuisson. Faites tremper des pétales de soucis dans du lait pour lui donner une teinte dorée – il peut ensuite être utilisé en cuisine. Parsemez des pétales de soucis sur une salade verte, de betteraves ou de poivrons rouges pour un effet coloré.

PROPRIÉTÉS

Le souci est utilisé en médecine depuis l'Égypte ancienne. Il peut être utilisé en collyre antiseptique, ainsi qu'en teinture contre les piqûres d'abeille et les verrues. Il peut également être consommé en tisane ou ajouté à un jus de fruits. Il a aussi servi aux bains de siège (pratique désuète pour soulager le périnée).

CETTE PLANTE VIVACE à courte vie, originaire d'Europe du Sud, est également appelée « calendula » et était autrefois portée en couronne comme emblème de la jalousie par les amoureux trahis. « Calendula » en est la variété européenne, ainsi appelée en raison de sa réputation à éclore aux calendes (premier jour de chaque mois de l'année). Le tagète, plus petit, originaire d'Afrique et d'Amérique du Nord et du Sud et dont la couleur des fleurs mêle l'orange, le jaune et le rouge foncé, est utilisé à Mexico pour décorer les tombes le Jour des morts. Avec ses inflorescences (groupes de fleurs répartis sur une tige centrale) jaune et orange vif, le « calendula » est une plante à la gaîté éclatante, qui attire facilement les papillons des jardins botaniques.

Ses fleurs ne sont cependant pas seulement belles, elles sont également utiles. La cuisine des fleurs remonte à l'époque des Grecs de l'Antiquité, qui inventèrent le premier médicament à base de plantes avec des fleurs de lavande, et des Romains, qui parfumaient le vin avec des roses et des violettes. En Angleterre, les fleurs de souci ont été utilisées pour colorer le fromage et comme substitut au safran – même si ce n'est pas comparable en termes de goût. Une recette de vin aux soucis parue dans un recueil de recettes écrit en 1732 par le Britannique Charles Carter, conseille de mettre « quelques fleurs de souci légèrement froissées mais pas écrasées dans chaque bouteille ». Aujourd'hui, le souci – avec son goût tantôt épicé, amer ou piquant – peut être ajouté aux beurres, aux soupes de poisson, aux salades, aux biscuits, à la crème anglaise et aux gâteaux.

Carline acaule

*Au Moyen Âge, la légende dit qu'un ange aurait
montré à Charlemagne comment utiliser ce chardon contre
l'épidémie de peste qui décimait son armée.*

CULTURE

La carline est facile à cultiver : plantez-en la graine sous châssis froid au printemps, puis replantez les pousses en extérieur l'été. Elles apprécient beaucoup le soleil.

PROPRIÉTÉS

Il a été montré que les huiles essentielles de racine de carline ont des propriétés antivirales, et elles sont utilisées en complément contre la grippe et le rhume.

CETTE HERBE a donc été nommée d'après Charlemagne, connu en Allemagne sous le nom de Charles le Grand. À l'époque médiévale, ce chardon était réputé permettre à celui qui le portait de puiser dans les forces des autres, et même des animaux. Une autre croyance veut que sa racine procure à un homme la puissance sexuelle d'un étalon : pour cela, il devait être planté et récolté à la nouvelle lune aux douze coups de minuit, et fertilisé avec la semence d'un étalon noir. Aujourd'hui encore, la carline acaule est portée dans certaines parties du monde en guise de protection contre le mal. Elle est également utilisée comme baromètre naturel : ses fleurs se referment lorsque l'air devient humide, ce qui est généralement signe de mauvais temps.

La carline est une plante vivace sans tige aux feuilles épineuses de forme semblable à celles du pissenlit, qui pousse à même le sol en forme circulaire. On la trouve généralement sur les pentes, les terrains vagues et les pâturages, et elle pousse de préférence sur les sols calcaires. Ses belles fleurs pouvant être consommées de la même manière que les artichauts, elle est surnommée «pain du chasseur» dans certaines régions. Sa racine peut être récoltée en automne, et utilisée en tisane une fois séchée.

Camomille

*Aujourd'hui associée au repos – sa tisane est un grand
classique – et à la blondeur – les shampoings à la camomille
promettent d'entretenir la brillance –, cette plante a en réalité
de très nombreuses propriétés méconnues.*

CULTURE

Faites-la germer en intérieur environ six semaines avant la dernière gelée. Plantez les pousses dans la partie la plus ensoleillée de votre jardin, ou dans des pots. La camomille se ressème volontiers, aussi, laissez quelques fleurs produire des graines plutôt que de toutes les cueillir.

HARMONIES GUSTATIVES

S'accorde avec les abricots, les pêches, les fraises, les pommes, la vanille, l'agneau, le poisson, le miel, le citron.

À ESSAYER

Faites reposer des fleurs fraîches de camomille dans votre crème ou *panna cotta* pour y ajouter un parfum et un goût délicats, puis servez-la avec des fraises. Parsemez des fleurs fraîches de camomille sur le glaçage d'un gâteau, à la pâte duquel vous aurez incorporé deux cuillerées à soupe de camomille séchée.

PROPRIÉTÉS

Dans l'histoire écrite par Beatrix Potter, la mère de Pierre Lapin « le met au lit, puis lui prépare une tisane de camomille ». Elle favorise la qualité de sommeil, la digestion et, en compresses fraîches, soulage les yeux fatigués.

ÉVOQUANT LA LUMIÈRE dorée de l'été, la pelouse de camomille a été rendue célèbre par Mary Wesley, dont le roman *La Pelouse de camomille* (1984) se passe en Cornouailles. La senteur aux notes de pomme associée à la camomille (son nom grec signifie « pomme du sol ») explique en partie la pratique horticole des pelouses de camomille – même si une certaine dose de paresse entre également en jeu, puisque les pelouses de camomille nécessitent beaucoup moins d'entretien que le gazon et dégagent une agréable odeur lorsque l'on marche dessus. Le thym rampant tel le *Thymus serpyllum* s'accorde bien avec la camomille dans une pelouse, mais on ne peut pas simplement les ajouter à un gazon existant, car ce dernier les combattra (et gagnera) : c'est la pelouse entière qui doit être faite de cette herbe.

Originaire d'Europe, la camomille est une plante médicinale ancestrale, déjà connue pendant l'Antiquité en Égypte, en Grèce et à Rome. Elle était considérée comme étant le remède de très nombreux maux de la vie de tous les jours, dont l'asthme, les coliques, la fièvre, les nausées et les maladies de peau – comme la vision qu'ont les Européens de l'herbe miracle chinoise, le ginseng (page 147), en quelque sorte. Il existe de nombreuses variétés cultivées de camomille – toutes les plantes apparentées aux pâquerettes, de la famille des Astéracées –, et chacune nécessite des conditions particulières pour pousser. La camomille allemande a un parfum plus doux en tisane, tandis que la camomille romaine a un goût plus amer. L'herboriste John Gerard a évoqué la camomille puante (anthémis fétide), à l'« odeur nauséabonde », écrivit-il.

Chénopode blanc

Également appelé « ansérine blanche », « poule-grasse »,
« blé-blanc » ou « herbe aux vendangeurs », le chénopode
est le secret le mieux gardé du monde des herbes.

CULTURE

Plantez les graines de chénopode dans un sol riche et bien drainé, à un endroit ensoleillé.

HARMONIES GUSTATIVES

S'accorde avec le fromage, le poisson, les anchois, la crème, les œufs, les oignons, les tomates, les pommes de terre.

À ESSAYER

Remplacez les épinards par du chénopode dans les currys, les gnocchis, les plats de pâtes et les tartes. Mélangez de jeunes feuilles de chénopode à de l'ail, des pignons, du parmesan et de l'huile d'olive pour faire un pesto.

PROPRIÉTÉS

En médecine indienne tradition-nelle, la poudre de feuilles de chénopode séchées est utilisée pour soigner les blessures. Une décoction peut être faite à partir des tiges et des feuilles, puis frot-tée sur les articulations souffrant d'arthrite et de rhumatismes, et sur les coups de soleil.

IDENTIFIÉ DANS L'ESTOMAC de l'homme de Tollund datant de l'âge de fer, le chénopode blanc était en effet le complément alimentaire des peuples primitifs, même si, comme l'un de ses noms l'indique, il est aujourd'hui surtout considéré comme un aliment pour les poules. Riche en fer, calcium et vitamine C, ce cousin du chénopode bon-Henri, ainsi nommé car Henri IV en aurait découvert les propriétés culinaires, est un membre aussi efficace que discret de la botanique et y mérite une bien plus grande reconnaissance. Après tout, ses feuilles sont plus nutritives que l'épinard et le chou.

Comme il peut pousser n'importe où et qu'on le trouve souvent dans les haies et les champs, ou près des vieux murs, le chénopode se cultive facilement. Ses feuilles riches en fer et ses jeunes pousses peuvent être sautées dans un peu de beurre, puis assaisonnées d'un peu de noix de muscade. Encore jeunes, ses feuilles peuvent être consommées crues en salade et intégrées à des plats en cocotte ou à des tourtes. Les feuilles plus mûres peuvent être utilisées de la même manière que les épinards. Comme ces derniers, elles réduisent beaucoup à la cuisson, il faut donc en prévoir un volume bien plus grand qu'il n'y paraît.

Chicorée

Cette plante vivace robuste a des fleurs d'un bleu vif qui,
selon une légende, sont les yeux métamorphosés d'une jeune
femme pleurant la disparition du navire de son bien-aimé.

CULTURE

Cette haute plante herbacée vivace a besoin d'un sol bien drainé qui soit assez profond pour accueillir ses très longues racines.

HARMONIES GUSTATIVES

S'accorde avec les poivrons, les salades, le piment, les noix, le bacon, le jambon, le bleu, le miel, l'orange.

À ESSAYER

Faites blanchir les feuilles de chicorée brièvement dans l'eau bouillante, puis égouttez bien et faites cuire à feu doux dans de l'huile d'olive avec de l'ail et du piment séché. Coupez des têtes de radicchio en quarts, couvrez-les d'huile d'olive et faites-les braiser jusqu'à ce qu'elles soient grillées et tendres.

PROPRIÉTÉS

La chicorée contient des probiotiques bénéfiques, efficaces contre l'indigestion et les brûlures d'estomac. Elle peut aider à faire diminuer le cholestérol et à atténuer les douleurs liées aux maux comme l'ostéoarthrite. En gel, elle peut soulager les muscles endoloris. Elle ne convient pas aux femmes enceintes.

ON COMPREND FACILEMENT pourquoi cette herbe est associée à la vulnérabilité et au deuil : ses fleurs ne durent qu'un jour (mais sont remplacées le lendemain) et se ferment au soleil de midi.

Une confusion règne sur ses noms dans le langage courant : la chicorée-endive (*cichorium endive*) est une espèce apparentée à la chicorée (*cichorium intybus*). En Europe, l'endive (appelée « chicon » dans le Nord de la France et en Belgique) est un légume couramment utilisé en salade, avec ses feuilles blanches tirant sur le jaune.

Les feuilles de chicorée sont utilisées en salade dans les régions italiennes de Ligurie et des Pouilles, ainsi qu'en Catalogne, en Grèce et en Turquie. Ses racines peuvent être grillées, puis moulues et bues comme substitut du café en raison de leur agréable amertume ; Charles Dickens évoque cette pratique dans ses *Paroles familiales*. Les endives de la variété belge *witloof* (signifiant « feuille blanche » en flamand) font d'excellentes endives au jambon. Le radicchio, également appelé « chicorée rouge », est l'autre variété d'endives cultivées connue, et peut être grillé ou rôti.

Claytonie

*Appelée « laitue des mineurs » en Amérique, car elle était
mangée par les mineurs californiens de la ruée vers l'or
pour sa teneur en vitamine C qui les protégeait du scorbut,
la claytonie est le tribut américain aux salades.*

CULTURE

Semez cette plante de saison fraîche un mois avant la première gelée et recommencez toutes les deux semaines jusqu'à mi-printemps pour pouvoir la récolter en continu.

HARMONIES GUSTATIVES

S'accorde avec la roquette, l'oseille, le cresson de fontaine, les fromages à pâte molle, les pommes de terre, les œufs, le poisson.

À ESSAYER

Ajoutez de la claytonie à du yaourt crémeux avec de l'ail pressé, de la menthe hachée, du sel et du poivre. Saupoudrez d'un peu de piment de Cayenne et servez comme sauce pour tremper des crudités, ou en salade.

PROPRIÉTÉS

Riche en chlorophylle et en vitamine C, la claytonie peut purifier le foie des toxines et métaux lourds, et renforcer l'ensemble du système immunitaire.

CETTE HERBE FEUILLUE a été rapportée d'Amérique du Nord en Europe par le grand naturaliste écossais Archibald Menzies à la fin du XVIIIe siècle. Dans son journal, un jour de 1792, il a écrit : « Peu avant que la brume se dissipe... nous avons marché le long de la rive... Lors de cette promenade j'ai trouvé, poussant dans les fissures d'un petit rocher, à mi-chemin environ, une nouvelle espèce de claytonie, et comme je ne l'ai rencontrée nulle part ailleurs dans mes voyages, elle doit être considérée comme une plante rare de ce pays. »

Également connue sous le nom de « pourpier d'hiver », cette plante aux feuilles en rosette peut mesurer entre 1 et 40 cm. Elle a tendance à pousser dans le chaparral, en sous-bois, dans les forêts, les vergers et les régions côtières d'Amérique du Nord. La meilleure est celle qui pousse sous les arbres, puisqu'elle apprécie la fraîcheur et l'humidité, mais connaît souvent un regain soudain de vivacité au soleil après une période pluvieuse. Certaines tribus américaines indigènes avaient coutume de répandre de la claytonie sur les passages d'une certaine espèce de fourmi : l'acidité des excréments de fourmi faisait une sorte de vinaigrette à manger avec cette laitue.

La claytonie a un goût citronné, assez semblable à celui de l'oseille (voir page 172). Elle est faite de feuilles robustes pouvant être consommées comme les épinards, et s'apprécie aussi en salade. Excellente source de vitamine C, c'est l'une des rares feuilles de salade à continuer à pousser en hiver.

Muguet

L'herboriste du XVIᵉ siècle John Gerard recommandait une concoction assez peu orthodoxe à base de muguet : « Mettez-le dans un verre que vous poserez, bien fermé, sur une fourmilière pendant un mois. Après ce temps, vous y trouverez une liqueur dont l'application apaisera la douleur et l'élancement de la goutte. »

CULTURE

Semez-en la gaine en pot ou au jardin, dans un sol fertile avec des feuilles en décomposition. Veillez à choisir un sol ombragé, et arrosez-le régulièrement.

PROPRIÉTÉS

N'utilisez cette plante qu'avec l'avis expert d'un médecin compétent : mal utilisée, elle peut être toxique. Le muguet peut cependant servir à soigner les pathologies cardiaques, les troubles et brûlures pulmonaires et la dépression.

ORIGINAIRE D'EUROPE, d'Amérique du Nord et du Canada, le muguet, qui peut être mortel, a marqué les esprits dans la série *Breaking Bad*, où le personnage principal, Walt, professeur de chimie, empoisonne le petit Brock, âgé de six ans, avec ses baies rouges afin de renverser le baron de la drogue Gustavo Fring. C'est une très jolie plante, avec des fleurs en clochette, qui pousse de préférence dans les sous-bois ombragés en début de printemps, ce qui explique qu'il soit traditionnellement offert le 1ᵉʳ mai. Il fleurit dans les sols labourés en profondeur, sur le fumier bien mûr et les feuilles en décomposition.

Le muguet est associé à de célèbres pleureuses : il est supposé être né des larmes de la Vierge Marie versées au pied de la croix ; des larmes de Marie-Madeleine lorsqu'elle trouva le tombeau du Christ ; et des larmes d'Ève, retrouvée en pleurs après l'expulsion d'Adam du jardin d'Éden. Cette petite fleur blanche est aussi symbole de chasteté et de pureté, et elle est souvent présente dans les bouquets de mariée. Au Moyen Âge, les moines voyaient dans le muguet une échelle vers le paradis et l'avaient donc ainsi surnommé, du fait des échelons réguliers formés par les petites tiges de chaque fleur.

Coriandre

*La coriandre, ou « persil arabe », est une herbe qui
ne laisse généralement pas indifférent : certains l'adorent,
d'autres la détestent.*

CULTURE

Plantez-la en petites rangées dans un sol bien ensoleillé, une fois que tout risque de gelée est passé. Ajoutez de nouvelles graines toutes les deux semaines pour pouvoir la récolter en continu.

HARMONIES GUSTATIVES

S'accorde avec le poivron, les avocats, les tomates, les pommes de terre, les carottes, les haricots noirs, la noix de coco, les cacahuètes, le poulet, le porc, le bœuf, le poisson à chair blanche, les fruits de mer, le riz, le citron, le citron vert, le cumin, le piment, l'ail, la menthe.

À ESSAYER

Mélangez de l'avocat découpé en petits dés, de la tomate, du piment et de l'oignon rouge avec de l'huile, un jus de citron ou de citron vert et une généreuse dose de coriandre hachée. Ajoutez de la coriandre hachée aux beignets de légumes comme les carottes, le maïs ou la courgette.

PROPRIÉTÉS

La coriandre est une herbe incroyablement bénéfique. Elle peut aider à réguler des problèmes de peau comme l'eczéma, réduire les gonflements dus à un mauvais fonctionnement rénal, prévenir les nausées, renforcer la santé osseuse, protéger les yeux de la conjonctivite, réduire la tension artérielle et rafraîchir l'haleine.

POUR CERTAINS, elle est merveilleusement délicate, avec son goût de gingembre citronné aux notes de poivre, de citron, d'orange et de sauge ; pour d'autres, elle est aussi désagréable que de mâcher un savon parfumé. Ingrédient incontournable de la cuisine d'Asie, d'Amérique latine et du Portugal, la coriandre doit s'utiliser avec générosité pour un impact maximal.

La coriandre est cultivée depuis plus de 3 000 ans et non seulement elle s'utilise en cuisine, mais occupe aussi une place importante dans l'armoire à pharmacie, en particulier pour soigner la dyspepsie, les flatulences et la perte d'appétit. Toutes les parties de la plante peuvent être consommées : en plus des feuilles très parfumées, ses graines sont une épice aromatique, ses tiges s'utilisent dans les condiments aux épices et ses racines dans des plats thaïs et indiens. Les feuilles s'ajoutent idéalement en fin de cuisson, car exposées trop longtemps à la chaleur, elles perdent de leur parfum. Essayez d'ajouter de la coriandre à tous vos plats, que ce soit dans les poêlées, les plats en sauce, les chutneys, les sauces ou les salades. Elle agrémente à merveille une sauce piquante associée au piment, à l'ail et au jus de citron. La coriandre est en effet une herbe de base de certains plats bien pittoresques : le *zhug* (sauce pimentée yéménite), la *charmoula*, le *ceviche* et le guacamole.

Mitsuba

*Également appelé « persil japonais », le mitsuba couvre
les montagnes japonaises de jolies fleurs mauves en étoile
et semble être né des amours du persil et de la pérille.*

CULTURE

Semez-le dans un sol riche et recommencez toutes les six semaines pour un approvisionnement en continu. Si le sol reste humide, vous pourrez le récolter sans interruption du printemps à l'automne. Le mitsuba peut pousser assez haut (jusqu'à un mètre) et se ressème facilement.

HARMONIES GUSTATIVES

S'accorde avec les œufs, le poisson, les fruits de mer, le poulet, les nouilles, le riz, les carottes, les champignons.

À ESSAYER

Remplacez le persil par du mitsuba dans les salades et pour parfumer les plats de légumes. Passez les feuilles de mitsuba dans la farine, trempez-les dans une pâte à beignet et faites-les frire.

PROPRIÉTÉS

Le mitsuba est utilisé pour soigner le rhume commun, la fièvre et les hémorragies. Il a également des propriétés antistress.

SIGNIFIANT « TROIS FEUILLES » – car, effectivement, trois feuilles poussent en haut de chacune de ses hautes et fines tiges –, le mitsuba est une charmante herbe vert pâle qui fleurit à l'ombre (même s'il apprécie aussi un peu de soleil). Ses feuilles à trois lobes dentelés sont larges et tendres, avec un goût subtil à la croisée entre persil, céleri et cerfeuil.

Le mitsuba a été utilisé en médecine pour différentes affections, mais il est aujourd'hui plus connu comme ingrédient culinaire ; il est d'ailleurs la star de la soupe japonaise aux fruits de mer *matsutake dobinmushi*. Dégustée à la courte période (septembre et novembre) où les champignons des pins (ou *matsutake*) au délicieux parfum se récoltent, c'est une boisson très précieuse faite dans une théière avec des lamelles de poulet, des crevettes, des noix de ginkgo (voir page 96) et du mitsuba. Plus quotidiennement, le mitsuba est utilisé dans les poêlées, le sukiyaki, les sashimis, la crème aux œufs et le riz, ainsi que comme garniture dans la soupe miso et le *nabe*, une sorte de plat familial unique. Il peut prendre de l'amertume s'il cuit plus que quelques minutes, il vaut donc mieux l'ajouter en toute fin de cuisson.

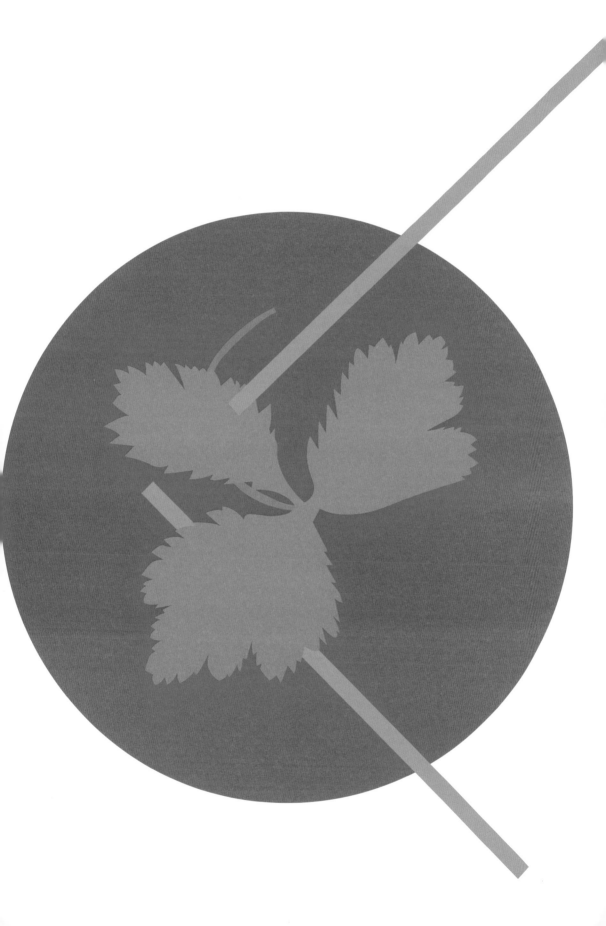

Citronnelle

*Herbe vivace originaire d'Asie tropicale
et d'autres climats chauds, la citronnelle pousse
en abondance dans les conditions adéquates.*

CULTURE

La citronnelle est une excellente plante en pot. Plantez les graines dans des godets sous protection à 20 °C ; elle ne poussera correctement que si la température ne descend pas au-dessous de 8 °C la nuit. La germination peut prendre de quelques jours à 25 jours.

HARMONIES GUSTATIVES

S'accorde avec le poisson, les fruits de mer, la viande, les nouilles, le riz, la mangue, le citron vert, la papaye, le gingembre, l'ail, le basilic, la menthe, l'anis étoilé, le piment, le tamarin et la noix de coco.

À ESSAYER

Réchauffez à feu doux 200 g de sucre dans 300 ml d'eau, puis ajoutez 6 tiges de citronnelle pressées et découpées et 30 g de gingembre frais finement émincé. Laissez mijoter cinq minutes, puis laissez refroidir. Égouttez et réfrigérez. Versez ce sirop sur les salades de fruits exotiques, ou additionnez d'eau gazeuse pour obtenir une boisson rafraîchissante.

PROPRIÉTÉS

Riche en fer, en zinc, en magnésium et en vitamines A, B et C, la citronnelle peut contribuer à réguler les taux de cholestérol, à faire baisser la fièvre et à renforcer le système immunitaire. La tisane de citronnelle peut favoriser la qualité du sommeil.

ÉGALEMENT APPELÉE «VERVEINE DES INDES» ou «lemongrass», la citronnelle porte bien son nom et dégage une senteur citronnée lorsqu'on l'écrase. C'est une herbe incontournable en cuisine thaïe, mais en Thaïlande, on l'emploie également dans de nombreux produits, notamment des répulsifs contre les serpents, des agents de préservation des manuscrits anciens et des pesticides, ainsi qu'en médecine ayurvédique.

Pour préparer la citronnelle à un usage en cuisine, épluchez les couches externes dures, écrasez légèrement les tiges, puis découpez-les finement. Outre la Thaïlande, elle est également utilisée en Inde, au Vietnam, en Indonésie et en Malaisie, ajoutant un contraste rafraîchissant au piquant des piments dans les currys, la *laksa*, les soupes, les poêlées, les condiments et les marinades. Son goût citronné est également appréciable dans les desserts, y compris les sorbets, les gelées et les crèmes. Les tiges de citronnelle écrasées peuvent constituer d'excellentes tisanes, servies chaudes ou glacées. Favorisant la détente gastrique, cette herbe s'associe à merveille au gingembre.

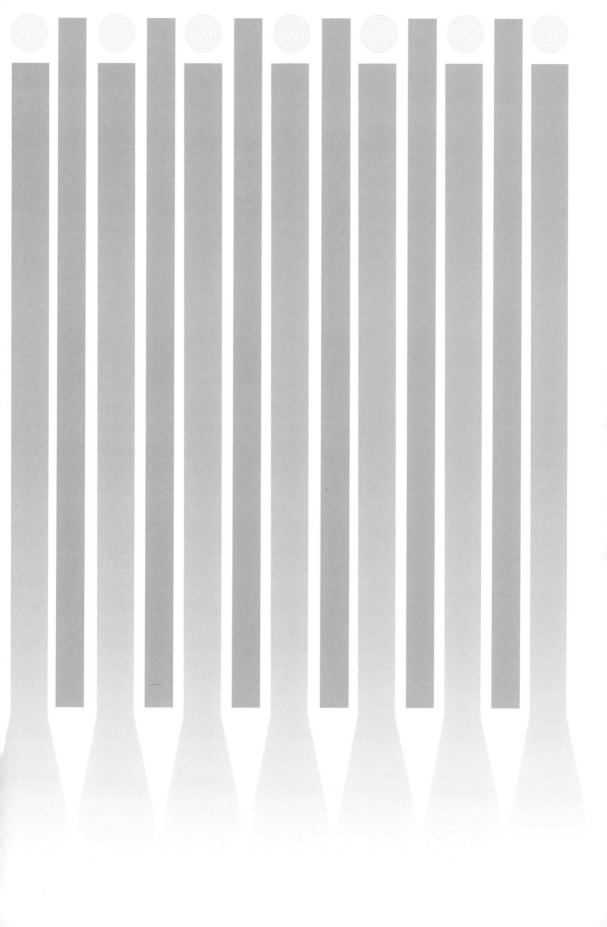

Cardon

*C'est l'une des herbes les plus impressionnantes à l'œil.
Avec ses boutons de fleurs violettes hérissés d'épines,
le cardon est une variété de chardon originaire des régions
méditerranéennes et d'Afrique du Nord.*

CULTURE

Trouvez un emplacement bien abrité du vent et plantez les graines dans un sol fertile et bien drainé.

HARMONIES GUSTATIVES

S'accorde avec les anchois, le fromage, les fruits de mer, le porc, le jambon, la volaille, les pommes de terre, les champignons, les oignons et les haricots secs.

À ESSAYER

Faites une *bagna cauda* : faites réchauffer doucement deux gousses d'ail pressées et une demi-boîte de filets d'anchois dans 2 cuillerées à soupe d'huile d'olive, en remuant jusqu'à ce que les anchois se dissolvent. Ajoutez progressivement 90 ml d'huile d'olive et 25 g de beurre et laissez fondre. Amenez la poêle à table, et trempez-y les tiges de cardon blanchies dans la sauce pendant qu'elle est encore chaude.

PROPRIÉTÉS

Contenant des phytonutriments, des vitamines B et C, ainsi que des minéraux essentiels comme du calcium et du fer, le cardon peut favoriser la santé hépatique et faire baisser le taux de cholestérol.

INTRODUIT EN URUGUAY, il a dû offrir une vue assez saisissante à Charles Darwin, qui, en 1831, se retrouva devant un champ entier de cette plante devenue mauvaise herbe, poussant dans les fourrés et pouvant atteindre la hauteur d'un cheval, dans les environs de Guardia del Monte.

Le cardon − *cardo* en latin signifie «chardon» − a d'épaisses tiges rappelant celles du céleri, un feuillage touffu et argenté et, étant apparenté à l'artichaut (*cynara scolymus*), un goût bien particulier et très délicat. Très populaire en Angleterre à l'ère victorienne, il a été dédaigné par la suite, jusqu'à ce que quelques chefs cuisiniers téméraires l'intègrent récemment à leurs menus. Le cardon est très long à préparer : les tiges, épaisses et filandreuses comme le céleri, doivent être débarrassées de leurs épines, puis épluchées, mises à tremper dans de l'eau acidulée pour les empêcher de s'oxyder, puis blanchies pour en atténuer l'amertume. Tous ces efforts seront récompensés par une texture juteuse et un goût très fin rappelant celui des artichauts.

Cette plante a toujours été appréciée en Europe, elle pousse dans la nature et en maraîchage en France, en Italie et en Espagne. En Italie, ses tiges sont parfois consommées crues, trempées dans de la *bagna cauda*, une sauce aux anchois servie tiède. Ses boutons de fleurs peuvent être utilisés de la même manière que de jeunes artichauts, tandis que ses feuilles se préparent en bouillon, à l'étouffée ou en gratin. En Espagne, le cardon figure dans une spécialité de Noël, le *cocido madrileño*, un plat mijoté à base de légumes et de viande à la manière du pot-au-feu. Au Portugal et en France, ses fleurs séchées ont jadis été utilisées comme substitut à la présure pour la fabrication de fromages.

Épazote

Également appelée « ansérine » ou « fausse ambroisie »,
l'épazote est une plante odorante, mentholée et camphrée,
au goût piquant et amer, avec des notes d'agrumes.

CULTURE

Il suffit de beaucoup de soleil, et c'est tout. L'épazote est une plante annuelle, mais elle se ressème. Une fois qu'elle a bien poussé, rentrez les plantes en intérieur pour l'hiver.

HARMONIES GUSTATIVES

S'accorde avec le maïs, les champignons, les oignons, la courge, les poivrons, les légumes verts, le poisson, les fruits de mer, le chorizo, le porc, le riz, le citron vert, la coriandre, l'ail, l'origan, les œufs, le fromage frais.

À ESSAYER

Ajoutez quelques feuilles d'épazote à un chili aux haricots noirs ou à des soupes de haricots. Mélangez de l'épazote hachée aux omelettes ou aux œufs brouillés, ainsi que quelques graines de cumin et un peu de piment frais finement haché.

PROPRIÉTÉS

Les feuilles d'épazote dans l'alimentation préviennent l'indigestion et les flatulences, apportant de grandes quantités de fibres alimentaires et de protéines. Les Mayas s'en faisaient des infusions pour se prémunir contre les vers intestinaux, en raison de sa forte teneur en ascaridole.

SON ÉTRANGE ODEUR – rappelant le kérosène à certains, le citron à d'autres – est évoquée dans son nom : membre de la famille des Chénopodiacées, l'épazote tient son nom du mot aztèque *nahuatl* signifiant « sueur de putois ». Originaire du Centre et du Sud du Mexique, l'épazote était primordiale à la cuisine des Mayas au Yucatán et au Guatemala. C'est aujourd'hui un ingrédient important de la cuisine mexicaine et caribéenne – mais aussi, à moindre mesure, américaine, puisqu'elle pousse sur le bord des routes d'Amérique du Nord. Elle est souvent associée à la coriandre et au cumin.

Prolifique une fois semée – rien d'étonnant à cela, puisqu'il s'agit d'une cousine mexicaine du chénopode (voir page 60) –, l'épazote est le plus souvent utilisée dans les plats à base de haricots secs (un heureux hasard veut qu'elle réduise les flatulences). Elle peut être utilisée crue dans les sauces, mais elle est meilleure cuite – ajoutée aux plats dans le dernier quart d'heure de cuisson pour éviter l'amertume. L'épazote est un composant essentiel du *mole verde* et des *quesadillas* : une seule feuille par *quesadilla* suffit. Elle est réputée faciliter la digestion et compenser la lourdeur de tout ce fromage. Si vous la faites pousser, il est possible, l'automne venu, d'en faire sécher les feuilles, les fleurs et les graines afin de les utiliser en hiver.

Échinacée

*Son nom vient d'echinos, qui signifie « hérisson »
en grec, en raison des pics qui hérissent le centre conique
et volumineux de sa fleur. C'est une plante unique
et bien à part, dont les propriétés font débat.*

CULTURE

Plante de jardin décorative à part entière, l'échinacée a besoin de plein soleil et d'un sol fertile et bien drainé. Évitez les emplacements humides. Plantez les graines sous abri aussi tôt que possible dans l'année pour leur permettre une croissance maximale.

À ESSAYER

Faites sécher la partie conique de la fleur et ajoutez-la à des compositions florales. Concoctez une tisane d'échinacée avec des feuilles d'échinacée séchées, de la citronnelle (page 72), de la menthe verte (page 122) et des feuilles de stévia (page 188), selon votre goût.

PROPRIÉTÉS

On dit que les Indiens d'Amérique ont observé des élans blessés et mourants manger de l'échinacée pour se soulager – ils l'appelaient « racine aux élans » –, ce qui leur a donné l'idée d'utiliser cette plante aux mêmes fins. L'échinacée peut être prise en infusion de feuilles fraîches contre le rhume, les coups de froid et la grippe. Elle peut également être utilisée en teinture contre les infections urinaires, et en bain de bouche contre les maux de gorge. De plus, une pommade à l'échinacée appliquée sur les brûlures et les plaies aiderait à les soigner. Prudence cependant : de trop fortes doses peuvent entraîner des nausées.

AVEC SES HAUTES TIGES surmontées d'une unique fleur rose ou violette et son centre brun-violacé conique, l'échinacée – en quelque sorte une pâquerette violette géante – peut être considérée comme le paracétamol du monde des herbes.

Les archéologues ont trouvé des preuves que les Indiens d'Amérique utilisaient l'échinacée il y a plus de 400 ans pour soigner les infections et les blessures, et comme remède à tout faire. En effet, l'échinacée a toujours été utilisée pour tout soigner, des morsures de serpent venimeux et autres piqûres d'insectes à la scarlatine, en passant par la syphilis et la septicémie. Un groupe d'herboristes américains, *The Eclectics*, ayant officié entre les années 1850 et 1930, a observé ses effets à l'hôpital, soutenant qu'elle pouvait soigner la gangrène, la bronchite, la typhoïde et la variole, entre autres maladies mortelles. Cependant, même eux ne sont pas arrivés à se mettre d'accord sur le sujet, et Harvey Wickes Felter, l'un des médecins membres du groupe, admit qu'il n'y avait «pas d'explication satisfaisante» sur les effets de l'échinacée.

La question est très controversée. L'échinacée a fait l'objet de plus de 350 études scientifiques, qui ont permis de révéler qu'elle contient toutes sortes d'éléments thérapeutiques : polysaccharides, glycoprotéines, alkamides et flavonoïdes. Certaines études ont démontré que l'échinacée fait augmenter l'activité des globules blancs, d'autres qu'elle stimule la production d'interférons (qui attaquent les virus). Cependant, quantité d'articles révisés par des pairs ont été accusés de partialité et de ne pas déclarer leurs financements. Malgré la controverse sur son efficacité, nombreux sont ceux qui recourent à l'échinacée pour abréger la durée d'un rhume ou d'un mal de gorge et pour renforcer leur système immunitaire. Bien sûr, cela ne doit être fait qu'avec un avis médical.

Elsholtzia ciliata

Kinh gioi

*Il aurait été vu poussant en Amérique à la fin du
XIXe siècle, mais le kinh gioi se trouve plus communément
en Asie centrale et de l'Est. Ses feuilles ont des bords
crénelés et ses fleurs s'épanouissent en épis violets.*

CULTURE

Cette plante vivace peut germer en extérieur après la dernière gelée. Si vous utilisez des boutures, aidez-les à produire des racines en les mettant debout dans l'eau : une fois les racines sorties, plantez-les dans un sol humide et bien aéré, en veillant à ce qu'elles ne soient pas à l'ombre.

HARMONIES GUSTATIVES

S'accorde avec le concombre, l'aubergine, la laitue, les champignons, le poulet, le poisson, les fruits de mer, le riz, les nouilles, le *galanga*, le piment, la coriandre, l'ail, la menthe.

À ESSAYER

Préparez un assortiment d'herbes fraîches à piocher, avec une dose généreuse de kinh gioi, et servez-le comme accompagnement rafraîchissant de vos plats vietnamiens ou thaïs.

PROPRIÉTÉS

Le kinh gioi est utilisé pour prévenir les flatulences et soulager les effets de l'excès d'alcool. Par ailleurs, ajouté aux bains de vapeur, il améliore la qualité de la peau. Les Vietnamiens le boivent en tisane pour apaiser les maux d'estomac.

IL DÉGAGE UNE SENTEUR FRAÎCHE et acidulée (où l'on peut déceler une pointe de menthe) et son goût oscille entre celui de la mélisse et celui de la citronnelle – d'ailleurs, ces deux herbes peuvent être remplacées par du kinh gioi dans les recettes. Il est utilisé dans les plats d'œufs et de poisson, dans les grillades, les soupes, les nouilles et le riz. Son arôme citronné ajoute une note acidulée à n'importe quel plat – essayez-le par exemple dans les rouleaux de printemps vietnamiens. Si vous ne trouvez pas de kinh gioi dans le commerce – il n'est vendu que dans les supermarchés asiatiques –, cela vaut la peine de le faire pousser vous-même. Vous pourrez en récolter les feuilles du printemps au mois d'août.

Eruca sativa

Roquette

Cette salade à la saveur poivrée, dont le caractère piquant s'explique par sa teneur en divers composants appelés « aldéhydes », est consommée depuis l'époque romaine, mais elle a par la suite été pratiquement oubliée. Ce n'est qu'au cours des deux dernières décennies qu'elle est revenue au goût du jour.

CULTURE

La roquette est facile à faire pousser. Vous pourrez la récolter dès la première année si vous procédez par petites semaisons régulières (sans trop tasser les graines). Elle apprécie l'ombre partielle et devrait être prête à être cueillie en six à huit semaines.

HARMONIES GUSTATIVES

S'accorde avec le poisson, les fruits de mer, le jambon de Parme, le poulet, le bœuf, l'agneau, le fromage de chèvre, le parmesan, le fromage frais, les tomates, l'avocat, le poivron, les pommes de terre, le piment, les anchois, les pâtes, le riz, la polenta.

À ESSAYER

Préparez un sandwich au crabe et à la roquette : mélangez de la chair de crabe fraîche à de la mayonnaise, au jus d'un citron, à du poivron finement émincé et du persil. Garnissez-en deux tranches de pain beurré et additionnez d'une généreuse dose de jeunes feuilles de roquette.

PROPRIÉTÉS

La roquette peut faire diminuer les risques d'obésité, de maladies cardiaques et de diabète ; source d'énergie, elle est également bonne pour le teint et favorise la perte de poids. Mangez-en avant d'aller courir : sa forte teneur en nitrates la rend très bénéfique pendant l'effort.

AVANT D'ÊTRE UNE VARIÉTÉ DE SALADE à la mode, la roquette était « appliquée sur les blessures causées par la morsure des chiens fous ou des serpents comme la vipère ou le crotale » (William Salmon). Une fois son attrait culinaire découvert, ses feuilles dentelées sont restées populaires tard au XVIIIe siècle en Europe. La raison pour laquelle on s'en est par la suite détourné pendant deux siècles, partout sauf en Italie, reste un mystère. Son grand retour post-moderne en Europe et en Amérique du Nord ne peut être qu'une bonne chose. Cette délicieuse salade aux feuilles poivrées est devenue omniprésente.

La roquette est bourrée de composés phytochimiques, d'antioxydants, de vitamines et de minéraux. Sa saveur relevée en a fait une herbe multi-usages, et elle accompagne aussi bien les salades composées que les pizzas (il suffit d'en parsemer quelques feuilles avant de servir), les sandwichs, les pestos, les grillades ou les plats de pâtes ou de riz. Grâce à son tempérament vif, elle est devenue la salade de ceux qui n'aiment pas la salade. Parfois, cependant, point trop n'en faut, et la roquette a tendance à mieux s'apprécier en association avec d'autres feuilles pour en contrebalancer le goût très prononcé. Ses jeunes feuilles sont relativement douces tandis que, plus mûres, elles prennent un goût plus prononcé ; néanmoins, elles perdent de leur piquant à la cuisson, par exemple dans une soupe ou une sauce pour les pâtes. Ajoutez ses fleurs aux plats que vous souhaitez relever tout en leur apportant une petite touche d'originalité.

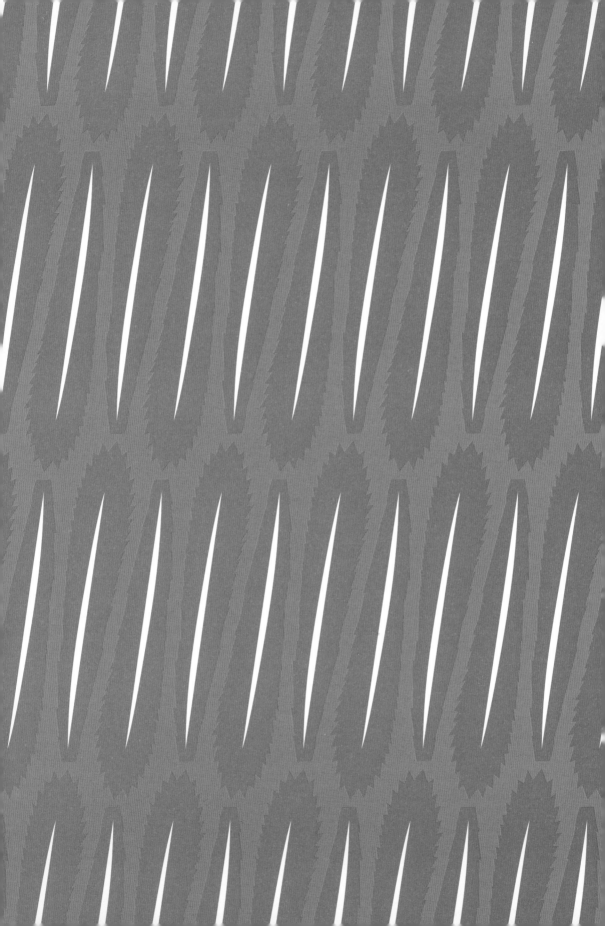

Coriandre longue

Appelée Eryngium, *« chardon des sables », en raison de son aspect hérissé, et* foetidum, *« fétide », en raison de son odeur, cette plante est originaire de bon nombre d'îles antillaises et d'Asie du Sud-Est.*

CULTURE

La coriandre longue pousse de préférence dans un sol bien drainé et partiellement ombragé. Plus elle a d'ombre, plus ses feuilles seront grandes et leur goût prononcé.

HARMONIES GUSTATIVES

S'accorde avec l'aubergine, le poivron, les tomates, l'ail, le citron vert, le basilic, le yaourt, les nouilles, le riz, le poulet, le porc, le bœuf et les fruits de mer.

À ESSAYER

Mixez une grosse poignée de feuilles de coriandre longue avec du sel, de l'ail, un jus de citron vert et du piment vert selon votre goût, puis ajoutez progressivement suffisamment d'huile d'olive pour faire une sauce. Servez avec du poulet ou des fruits de mer.

PROPRIÉTÉS

La racine de coriandre longue est traditionnellement consommée crue en guise de remède contre les piqûres de scorpion. Elle est utilisée en Inde pour soulager les douleurs d'estomac. En médecine traditionnelle, elle a été prescrite contre la fièvre, les coups de froid, les vomissements et les diarrhées. Ses feuilles peuvent être mangées en condiment pour stimuler l'appétit.

BIEN QUE COUSINE de la coriandre, la coriandre longue (également appelée « coriandre chinoise » ou « panicaut fétide ») est une herbe bien à part, qui porte le nom de *shado beni* à Trinidad, *recao* à Porto Rico et *man dhonia* en Inde. Elle peut être utilisée pour remplacer la coriandre, mais en quantités réduites, car son goût est beaucoup plus piquant.

Riche en calcium, en fer, en carotène et en riboflavine, la coriandre longue est couramment utilisée pour cuisiner en Amérique latine, aux Antilles, en Thaïlande et en Malaisie, en particulier dans les soupes, les plats de nouilles et les currys. C'est un ingrédient de la sauce portoricaine faite avec des tomates, de l'ail, de l'oignon, du jus de citron et du piment, et servie avec des tortillas. On la trouve aussi dans le *sofrito*, l'ingrédient secret de nombreuses recettes antillaises. Celui-ci sert de base aromatique aux soupes et ragoûts et est composé d'ail très finement émincé, d'oignon, de poivron vert, de feuilles de coriandre et de coriandre longue, le tout revenu dans de l'huile jusqu'à obtention d'un mélange fondant et très parfumé.

Euphraise

Présente en Europe, en Amérique du Nord
et dans le Nord de l'Asie, l'euphraise était utilisée
par le botaniste de l'Antiquité – et élève de Platon
et d'Aristote –, Théophraste.

CULTURE

Préférant les sols humides, l'euphraise pousse bien dans les sols sableux et aérés, et partiellement ombragés.

À ESSAYER

Préparez une tisane d'euphraise : versez de l'eau bouillante sur de l'euphraise fraîche ou séchée et laissez infuser dix minutes ; vous pourrez également utiliser cette tisane en compresses sur des yeux fatigués ou sensibles.

PROPRIÉTÉS

L'euphraise est connue pour son utilisation en cas de problèmes aux yeux, entre autres pour ralentir une baisse de la vue due à l'âge – mais veillez à consulter un spécialiste pour tout problème de vue. L'euphraise peut également réduire les écoulements de mucus en cas de rhume ou de grippe. Il semblerait que le remède maison d'euphraise mélangée à du macis et à des graines de fenouil moulues – et bu avec du jus de fruit – permette de lutter contre les pertes de mémoire.

QUELQUES CENTAINES D'ANNÉES plus tard, Dioscoride, auteur du *De materia medica*, l'un des premiers herbiers médicinaux, écrit au Ier siècle, l'utilisa lorsqu'il accompagna les légions romaines dans leurs nombreuses expéditions à travers l'Europe. Mais ce n'est pas tout : l'euphraise était un remède très prisé au XIVe siècle contre «tous les maux de l'œil» ; il est fait mention d'une bière d'euphraise pendant le règne d'Élisabeth 1re d'Angleterre ; et le poète John Milton évoque dans ses écrits Adam se lavant les yeux à l'euphraise, «car il avait beaucoup à voir». L'euphraise était couramment utilisée en médecine traditionnelle européenne pour soigner toutes sortes de maux affectant les yeux. On comprend facilement pourquoi son nom botanique – qui vient de celui de l'une des Grâces grecques, Euphrosyne – signifie «allégresse».

Pouvant atteindre 20 cm de hauteur, avec des feuilles ovales aux bords dentelés et des fleurs blanches ou violettes aux variégations jaunes, l'euphraise fait partie de la famille des Scrofulariacées, qui comprend des centaines d'espèces. Toute la partie de la plante au-dessus du sol – tiges, feuilles et fleurs – est comestible, bien que légèrement amère, et contient des vitamines B, C, E, ainsi que du bêtacarotène, des antioxydants et des flavonoïdes (ces derniers étant bons pour stimuler la mémoire).

Wasabi

Avec son odeur corrosive et enflammée, et son goût incisif et abrasif, le wasabi est une plante herbacée vivace qui pousse naturellement dans les ruisseaux de montagne glacials du Japon.

CULTURE

Faites-le pousser à un emplacement humide et ombragé, dans un sol marécageux (il ne doit pas s'assécher). Le wasabi apprécie les étés frais et nuageux.

HARMONIES GUSTATIVES

S'accorde avec le poisson, le poisson fumé, les fruits de mer, le bœuf, le poulet, l'avocat, les petits pois, les pommes de terre, le riz.

À ESSAYER

Préparez une simple sauce en délayant une cuillerée à café de pâte de wasabi dans 200 g de fromage frais, de yaourt à la grecque ou de crème fouettée, puis ajoutez le jus d'un citron et une pincée de sucre selon votre goût. Servez avec du bœuf ou du poisson fumé.

PROPRIÉTÉS

Le wasabi peut dégager les sinus, combattre les infections bactériennes et faire diminuer le risque de maladies cardio-vasculaires, tandis que sa forte teneur en antioxydants peut renforcer le système immunitaire.

CE QUI RESSEMBLE à une racine ou à un rhizome est en réalité la tige de la plante, avec les cicatrices foliaires caractéristiques aux endroits où les vieilles feuilles sont tombées ou ont été cueillies. Parfois appelé « raifort japonais » – on peut en effet le remplacer par du raifort –, le wasabi est difficile à cultiver. En dehors du Japon, on trouve très peu de plantes de wasabi fraîches, mais, avec un peu de chance, vous rencontrerez des cultivateurs pionniers. La plante met deux ans à arriver à maturité et est hautement périssable ; elle est donc chère à faire exporter loin de sa région d'origine.

La sensation brûlante procurée par le wasabi n'est pas d'origine lipidique, aussi est-elle peu durable en comparaison de celle que le piment procure. En fonction de la quantité qui a été consommée, cette sensation peut tout de même être douloureuse et affecte généralement les voies nasales. Un groupe de chimistes a remporté un prix Ig Nobel en 2011 pour avoir inventé une « alarme au wasabi » pour les sourds, fonctionnant grâce à l'odeur puissante du wasabi.

Accompagnant généralement les plats de poisson, en particulier les sushis et les sashimis, les tiges entières de wasabi sont vendues au Japon dans des bassines d'eau. Ailleurs, il est vendu prêt à l'emploi sous forme de poudre ou de pâte vert pâle, et traditionnellement servi en quantités minuscules avec les sashimis, souvent en plus d'une sauce soja dans laquelle les tremper. La pâte de wasabi est également utilisée dans les sushis, en pellicule mince entre le riz et le poisson.

Mais les usages du wasabi dépassent largement son rôle bien connu d'accompagnement du poisson cru. Essayez de le substituer au raifort pour apporter une note relevée au bœuf ; ajoutez-le à une purée de pois cassés servie avec un *fish & chips* ; ou incorporez-le à une sauce hollandaise... en n'oubliant pas que de toutes petites quantités suffisent. Si vous parvenez à en faire pousser vous-même, les feuilles en forme de cœur du wasabi et ses tiges sont comestibles, et peuvent être ajoutées aux salades pour leur apporter une touche épicée.

Filipendula ulmaria

Reine-des-prés

*C'est l'herbe antidouleur : la reine-des-prés
contient l'ingrédient antimigraine par excellence
utilisé dans l'aspirine.*

CULTURE

La reine-des-prés apprécie les sols riches et humides et fleurit bien à proximité de plans d'eau ou dans les marécages. Taillez-la si les feuilles s'abîment en été.

HARMONIES GUSTATIVES

S'accorde avec les pommes, les pêches, les fraises, les framboises, les groseilles, le maïs, les petits pois, les courgettes, les asperges, le riz, la crème.

À ESSAYER

Laissez tremper des feuilles ou des fleurs de reine-des-prés dans la crème qui servira de base à votre glace à la fraise pour la parfumer ; pour un sorbet, faites macérer vos fruits rouges avec de la reine-des-prés.

PROPRIÉTÉS

Une infusion de feuilles et de fleurs peut être bénéfique en cas de rhume avec fièvre ou de légères douleurs rhumatismales. Elle peut également apaiser les douleurs d'estomac chez les enfants. En extrait liquide, elle peut soulager la gastrite et les rhumatismes chroniques. Elle est déconseillée aux femmes enceintes et aux personnes intolérantes à l'aspirine.

LA REINE-DES-PRÉS est évoquée dans «Le conte du chevalier» de Geoffrey Chaucer, le premier de ses *Contes de Canterbury* (env. 1400). C'est une plante originaire d'Europe et d'Asie de l'Ouest, aujourd'hui également répandue en Amérique du Nord. Aussi appelée «belle-des-prés», «barbe-de-bouc» ou «herbe-aux-abeilles», elle porte des grappes de fleurs d'un élégant blanc crème au parfum d'amande en haut de ses hautes tiges verticales.

Les feuilles plissées vert sombre de la reine-des-prés ressemblent à celles de l'orme (*ulmaria* signifie «qui ressemble à l'orme») et, comme l'écorce de l'orme rouge, la reine-des-prés contient de l'acide salicylique, utilisé depuis bien longtemps comme antalgique. En 1897, le chimiste allemand Felix Hoffman a créé une variante synthétique de la salicyline, dérivée de la reine-des-prés, qui permit par la suite d'aboutir à l'aspirine. En effet, le nom de l'aspirine vient de l'ancien nom botanique de la reine-des-prés : *Spiraea ulmaria*. La reine-des-prés a longtemps été considérée comme bénéfique pour la santé : elle était jadis utilisée pour soigner l'arthrite, les rhumatismes et les douleurs d'estomac, et elle est indubitablement l'herbe antimigraine la plus éminente. En raison de son odeur sucrée, elle a beaucoup été utilisée pour parfumer l'atmosphère des maisons – la reine Élisabeth 1re d'Angleterre l'appréciait en particulier pour rafraîchir ses appartements.

Le parfum caractéristique d'amande que dégage la reine-des-prés est largement sous-utilisé en cuisine, même si des chefs cuisiniers novateurs commencent à en apprécier les charmes. Ses feuilles peuvent être ajoutées aux salades et aux soupes, tandis que les têtes de fleurs peuvent être utilisées de la même manière que celles du sureau (voir p. 176) – elles donnent un sirop particulièrement délicieux. La reine-des-prés est traditionnellement utilisée pour parfumer la bière, l'hydromel et le vin. La reine-des-prés séchée peut être saupoudrée sur les plats sucrés ou salés pour ajouter une note de foin fraîchement coupé.

Fenouil

*Haut et gracieux, le fenouil est une plante vivace
à l'arôme chaleureux rappelant la réglisse.*

CULTURE

Plantez les graines de fenouil après la dernière gelée dans un sol profond et bien drainé. Placez le fenouil à l'arrière de votre jardin botanique, et gardez à l'esprit qu'il développe de très longues racines. Il aura besoin de tuteurs s'il est exposé au vent.

HARMONIES GUSTATIVES

S'accorde avec les pommes de terre, les oignons, les tomates, le canard, le porc, le poisson gras, les fruits de mer, les anchois, le piment, les olives, les oranges, la crème, le parmesan.

À ESSAYER

Enfoncez des frondes de fenouil dans les cavités de votre poisson avant de le faire griller. Préparez une salade rafraîchissante avec de très fines lamelles de fenouil de Florence, des quartiers d'orange, du poivron rouge haché, une généreuse quantité de frondes de fenouil et un filet d'huile d'olive. Ajoutez des frondes de fenouil au *coleslaw*. Saupoudrez des fleurs de fenouil sur vos soupes et salades.

PROPRIÉTÉS

Buvez une infusion de graines de fenouil contre l'indigestion et les gaz ; une infusion de la plante peut augmenter la lactation pendant l'allaitement. Une teinture de fenouil peut être utilisée contre la constipation.

ON DIT QUE, à l'origine, la ville de Marathon, en Grèce, légendaire point de départ de la course longue distance à laquelle elle a donné son nom, a été ainsi nommée en raison d'une abondance de fenouil (*marathon* en grec) sur ses terres. Le fenouil est une plante élégante aux frondes duveteuses épaisses vert-gris, aux tiges hautes comme du bambou et aux fleurs en ombelles jaunes (groupes de fleurs réparties sur des petites tiges de taille égale partant d'un centre commun). Pouvant atteindre jusqu'à 1,80 m de hauteur, il est du plus bel effet dans une large plate-bande fleurie. Son goût est frais, sucré et anisé, et ajoute une touche printanière aux salades et aux sauces. Nous parlons ici bien sûr des tiges, fleurs et graines de la plante, et non du très apprécié bulbe de la variété de fenouil de Florence.

Si vous avez la chance de trouver du fenouil sauvage en fleurs, cueillez-en les fleurs et faites-les sécher : vous aurez là un ingrédient très en vogue (et très cher) appelé « pollen de fenouil » dans le commerce, parfois surnommé « épice des anges ». Son goût est remarquablement intense. Quelques pincées suffisent pour relever les plats de porc, de poulet, de poisson et de légumes.

Les notes de réglisse du fenouil s'adoucissent à la cuisson et s'accordent particulièrement bien avec le poisson. En Provence, le rouget se fait cuire sur un lit de tiges de fenouil. Même si ce n'est pas l'herbe la plus facile à trouver sur le marché, elle est extrêmement simple à faire pousser, tant qu'on lui laisse toute la place qu'il lui faut. Septembre venu, vous pouvez en récolter les graines parfumées sur ses fleurs en ombelles.

Aspérule odorante

L'herboriste du XVIe siècle John Gerard a écrit de l'aspérule odorante : « On dit qu'elle serait mise dans le vin, pour rendre joyeux, et qu'elle est bonne pour le cœur et le foie ; elle fait merveille sur les plaies. »

CULTURE

Plantez-la dans un sol humide, bien drainé et ombragé, car le soleil en abîmerait les feuilles. L'aspérule odorante peut devenir envahissante au jardin, mais elle peut se cultiver en pots et pousse bien en intérieur.

HARMONIES GUSTATIVES

S'accorde avec le poulet, le lapin, les feuilles de salade, les pommes, le melon, les poires, les fraises.

À ESSAYER

Parsemez vos salades de fleurs d'aspérule, ou utilisez-les pour agrémenter les boissons aux fruits et les apéritifs.

PROPRIÉTÉS

Préparez une tisane d'aspérule avec une petite poignée de feuilles fraîches infusées dans de l'eau bouillante pendant dix à quinze minutes : elle apaisera les maux d'estomac et les migraines, et favorisera la qualité du sommeil. Froissées, les feuilles peuvent aider à réduire les bosses et accélèrent la cicatrisation.

ÉGALEMENT APPELÉE « petit muguet » ou « reine-des-bois », l'aspérule est une plante revigorante, aux fleurs et feuilles parfumées, exhalant une odeur tenace de foin fraîchement coupé. Ce n'est pas une herbe facile à cultiver, mais elle peut être récoltée dans les prés et les vergers.

L'aspérule odorante a été utilisée pour soigner des maux très divers, comme la nervosité, les insomnies, les maux d'estomac, les névralgies et les calculs rénaux, ainsi que les troubles respiratoires et les hémorroïdes. Les herboristes modernes l'utilisent comme laxatif et antiarthritique, tandis que la tisane faite à partir de ses feuilles a des propriétés diurétiques. Disposez des aspérules au fond de vos bibliothèques pour atténuer l'odeur de renfermé que prennent les livres en vieillissant.

Les Allemands adorent l'aspérule. Dans les bars de Berlin, on peut commander une *Berliner Weiße mit Schuß*, une bière légère parfumée au sirop d'aspérule. Elle se trouve aussi couramment sous forme de gelée, ou ajoutée aux vins de la région du Rhin pour faire un punch appelé *Waldmeisterbowle*, composé de vin blanc, d'eau-de-vie, de champagne et de fraises fraîches. Cette boisson se prépare également avec de la limonade pour en faire une version adaptée aux enfants.

Ginkgo

*Qu'est-ce qui vivait déjà à l'époque des dinosaures,
a une espérance de vie de mille ans et peut survivre
à une explosion nucléaire ?*

CULTURE

Préparez les graines en retirant la moelle (avec des gants), puis en les nettoyant à l'aide d'un détergent doux. Plantez-les immédiatement dans un mélange à parts égales de terreau et de gravier végétal. La germination prend quatre mois ; plantez les jeunes pousses dans un bac, puis laissez-les y grandir quatre ans ; ensuite, une fois votre arbre planté au jardin, attendez une vingtaine d'années pour voir s'il fait des fruits. Bien sûr, vous pouvez toujours acheter un petit ginkgo déjà grand : ils sont remarquablement faciles d'entretien.

PROPRIÉTÉS

Les comprimés de ginkgo, qui se trouvent très facilement dans le commerce, sont indiqués en cas de mauvaise circulation, de varices et de pertes de mémoire. Une décoction de ginkgo est efficace en cas de toux persistante ou de terrain asthmatique. Des études suggèrent également que le ginkgo aiderait les patients atteints de la maladie d'Alzheimer dans leurs tâches cognitives, leurs activités quotidiennes, et atténuerait leurs ressentis dépressifs.

INCROYABLE MAIS VRAI : c'est le ginkgo, le «fossile vivant» de Darwin, ce robuste arbre à feuilles caduques, qui résiste aux insectes, aux champignons, aux virus, à la pollution et aux radiations nucléaires. Sans surprise, l'«arbre aux quarante écus» (c'est son autre nom) est réputé pouvoir procurer aux humains des superpouvoirs du même ordre : en médecine chinoise, le ginkgo a été utilisé pour tout soigner, de l'asthme à la toux, en passant par les parasites intestinaux et la gueule de bois.

Il est même réputé améliorer les capacités mentales, la mémoire et le raisonnement, bien que les démonstrations en soient controversées.

Les feuilles du ginkgo sont utilisées pour faire des extraits médicinaux. *Ginkgo* signifie «abricot d'argent» en chinois, par allusion à son fruit (*biloba* signifie «à deux lobes», en raison de la fente centrale de ses feuilles en forme d'éventail). Ce fruit est rond, brun, de la taille d'une prune, avec très peu de chair sur la «noix» : les Chinois laissent habituellement pourrir cette noix avant de la consommer. Il existe un débat pour savoir si crues, elles sont sans danger, mais, le plus souvent, elles sont grillées ou cuites dans les soupes ou les poêlées (ou, au Japon, dans les condiments salés). Les noix sont également peintes en rouge – la couleur du bonheur – et accrochées en hauteur lors de mariages. Au Japon, où le ginkgo est traité comme une divinité (il en existe un spécimen vieux de 3 500 ans à Dinglin Temple, sur le mont Fu Lai), six arbres ont survécu à la bombe atomique d'Hiroshima, il est donc considéré comme le «porteur d'espoir».

Houttuynie

*Envahissante mais jolie, cette plante originaire du Japon
adore vivre dans l'eau. Elle est largement utilisée
en cuisine d'Asie du Sud-Est, et à peu près inconnue
dans le reste du monde.*

CULTURE

La houttuynie tolère une grande variété de sols, de secs à très humides, l'ombre ou le soleil, et est une bonne plante à faire pousser en pot, où sa prolifération peut être maîtrisée.

HARMONIES GUSTATIVES

S'accorde avec le bœuf, le canard, le poisson, les fruits de mer, la coriandre, l'ail, la citronnelle, la menthe, le cresson de fontaine.

À ESSAYER

Ajoutez des lambeaux de feuilles aux soupes claires. Ajoutez-en aux poêlées de légumes et aux plats de fruits de mer. Faites des beignets de ses feuilles avec une pâte à *tempura*.

PROPRIÉTÉS

En crème, elle peut être utilisée sur les coupures et écorchures ; en sirop, elle soulage la toux ; et l'infusion, appelée au Japon *dokudami cha* (faite à partir de l'herbe fraîche), bue une fois par mois, a des effets détoxifiants sur l'ensemble de l'organisme.

ÉGALEMENT APPELÉE *HEARTLEAF* en anglais (ses feuilles à la pointe rougissante sont en forme de cœur), le nom chinois de la houttuynie signifie « herbe à odeur de poisson », ce qui lui sied bien, puisqu'en effet, son arôme de coriandre a des notes de poisson et d'agrumes. Au Vietnam, elle est aussi surnommée « menthe-poisson ». La houttuynie japonaise a plus d'arômes d'orange et de coriandre que la variété chinoise, et est donc plus appétissante pour certains.

Plante vivace herbacée, atteignant entre 20 et 80 cm, la houttuynie s'épanouit de préférence dans des sols marécageux et aime avoir les pieds dans l'eau, même en plein soleil. Ses feuilles se récoltent du printemps à l'automne : froissez-en une ou deux entre vos mains pour vérifier qu'elles soient bien parfumées. La variété dite « caméléon » a de belles feuilles où se mêlent l'orange, le jaune et le vert. La houttuynie est une herbe qui ne laisse pas indifférent : son odeur peut être une puanteur pour les uns, mais un délice pour les autres.

Au Japon, la houttuynie s'appelle *dokudami*, ou « plante antipoison », par allusion à son utilisation en médecine par les plantes pour ses propriétés antivirales et antibactériennes. Elle est également réputée efficace contre le rhume des foins et les problèmes de circulation, et il a récemment été suggéré qu'elle aurait des propriétés anti-obésité.

Houblon

*Plante grimpante plutôt que vigne
(il pousse en s'enroulant dans le sens des aiguilles
d'une montre autour de son support), le houblon
est l'herbe de la bière et du sommeil.*

CULTURE

Si vous n'avez pas de cultures de houblon près de chez vous (dans certaines villes, il existe des projets de culture communautaire de houblon), vous pouvez acheter des plants ou rhizomes de houblon, en veillant à ce qu'ils ne soient pas porteurs de maladies. Le houblon pousse de préférence dans un terreau profond et bien drainé, et aime recevoir beaucoup de soleil et de place pour grimper.

HARMONIES GUSTATIVES

S'accorde avec le poisson, les œufs, le fromage à pâte molle, les tomates, le riz, les pâtes.

À ESSAYER

Faites blanchir des pousses et/ou feuilles de houblon dans de l'eau bouillante, puis égouttez très soigneusement. Passez-les à feu doux avec du beurre, du sel et du poivre. Utilisez-les dans les omelettes, les risottos et les plats de pâtes.

PROPRIÉTÉS

Le houblon peut soulager les douleurs et tuer les bactéries, mais aussi favoriser la qualité du sommeil. Il se consomme en tisane (associé à la valériane – voir page 205 – pour un effet renforcé), en teinture, en comprimés ou en crème.

POUR EN DÉCRYPTER le nom, *humulus* vient probablement de *humus*, le sol riche et humide dans lequel les plantes poussent le mieux, tandis que *lupulus* vient de *lupus*, qui signifie « loup » en latin. Comme l'a expliqué Pline l'Ancien, lorsqu'il pousse contre l'osier (apparenté au saule), le houblon l'étrangle comme le ferait un loup avec un mouton. Le mot « houblon » lui-même vient de l'anglo-saxon *hoppan*, qui signifie « grimper ».

Les racines de cette plante vivace sont robustes, ses tiges sont très longues et solides, flexibles et couvertes d'épines redoutables, et ses feuilles sont en forme de cœur, vert foncé avec un bord très finement denté. Ses fleurs partent de l'aisselle des feuilles. Le houblon est dioécique, du grec signifiant « deux foyers » – en d'autres termes, il en existe des spécimens mâles et femelles distincts. Ce sont les fleurs non pollinisées de la plante femelle qui sont utilisées pour faire de la bière. Les fleurs sont des chatons feuillus coniques appelés « strobiles », dont est en grande partie tirée la lupuline qui donne au houblon son goût amer caractéristique.

Les Romains raffolaient du houblon : ils en dégustaient les jeunes pousses au printemps. Deux millénaires plus tard, ces jeunes pousses reviennent à la mode : elles ont récemment été désignées légume le plus cher au monde, à 1 000 euros le kilo. Consommées comme des asperges, ces pousses se rapprochent en réalité plus de la salicorne par leur texture et sont de plus en plus utilisées par les chefs cuisiniers imaginatifs.

Grâce à la substance appelée « méthylbuténol », le houblon est légèrement sédatif et favorise la qualité du sommeil. La tisane de houblon est recommandée en cas d'insomnie et de nervosité et pour stimuler l'appétit, et une taie d'oreiller parfumée au houblon peut procurer un apaisement : vaporisez un peu d'alcool sur des fleurs de houblon et glissez-les dans la taie.

Millepertuis

Si vous marchez sur du millepertuis après le coucher du soleil, vous serez emporté sur le dos d'un cheval magique qui galopera jusqu'à l'aube avant de vous déposer en terrain découvert. Paraît-il.

CULTURE

Pour aider les graines à germer, faites-les tremper dans de l'eau tiède pendant quelques heures ou toute une nuit avant de les semer. Le millepertuis a tendance à évincer les autres plantes, il peut donc être préférable de le faire pousser tout d'abord en pot, puis d'enterrer le pot dans le jardin pour en contenir la croissance.

PROPRIÉTÉS

En infusion, il apaise l'anxiété, l'irritabilité et les tensions nerveuses ; mais il peut aussi servir de bain apaisant pour les blessures et les plaies. Il peut être pris en comprimés en cas de dépression légère à modérée et d'autres maladies connexes, dont les troubles affectifs saisonniers et les troubles obsessionnels compulsifs. Demandez toujours un avis médical.

AVEC SES FEUILLES sans tige et ses fleurs parfumées d'un jaune éclatant, cette plante herbacée vivace pousse en toute liberté dans les sous-bois, les haies, les prairies et les fourrés. Son nom latin vient du grec *hyperikon*, signifiant « sur-apparition » ou « dominant presque les fantômes » : on croyait que cette herbe était si intolérable pour les mauvais esprits que le simple fait de la respirer les faisait disparaître. *Perforatum* fait allusion aux points noirs que l'on voit sur ses feuilles et ses fleurs, qui, même s'ils ressemblent à des petits trous noirs, sont en réalité de minuscules glandes qui sécrètent l'huile essentielle et les résines de la plante. Il est également appelé « herbe de la Saint-Jean », car ses fleurs de couleur vive s'ouvrent généralement le jour de la fête de Jean le Baptiste, le 24 juin. De même que l'achillée millefeuille (page 12), l'armoise (page 45), le fenouil (page 93) et le sureau (page 176) : on les cueillait le jour de la Saint-Jean pour les accrocher au-dessus des portes et des fenêtres afin d'éloigner les mauvais esprits. Pendant ce temps, les feux de la Saint-Jean étaient allumés sur les collines et les points culminants pour faire fuir le feu céleste et les esprits malveillants à l'époque de l'année où les récoltes arrivaient à maturité.

De nos jours, le millepertuis est utilisé par des millions de gens pour éloigner une autre sorte de mauvais esprit : la dépression. Certaines études ont montré qu'il serait aussi efficace que certains médicaments comme le Prozac®, mais sans les effets secondaires, grâce à des ingrédients actifs incluant l'hypéricine et l'hyperforine. Même si les résultats sont sans conclusion, on pense que le millepertuis stimule et maintient la production de l'hormone du bien-être, la sérotonine. Cependant, comme toujours, demandez un avis médical si vous souhaitez en prendre.

Hysope

*Très appréciée des abeilles, des abeilles fouisseuses et des
bourdons – elle est même utilisée pour fabriquer du miel –,
l'hysope est aussi l'herbe de la purification :
« Purifie-moi avec de l'hysope, et je serai pur » (Psaumes, 51, 7).*

CULTURE

Semez-la en début de printemps et veillez à ce qu'elle ait autant de soleil que possible. Si vous n'arrivez pas à la faire germer, il vous sera probablement plus facile de la faire pousser à partir de boutures.

HARMONIES GUSTATIVES

S'accorde avec les abricots, les pêches, les prunes, les cerises, les airelles, la betterave, le chou, les champignons, les tomates, les courges, les carottes, les œufs, le gibier, l'agneau.

À ESSAYER

Ajoutez une cuillerée à café de feuilles d'hysope hachées à la pâte d'un *Yorkshire pudding*. Ajoutez un ou deux brins d'hysope dans une casserole de pêches pochées, d'abricots ou de prunes. Parfumez la pâte de vos muffins ou pains au maïs avec de l'hysope hachée. Agrémentez de feuilles d'hysope vos plats de gibier en tourte ou en cocotte.

PROPRIÉTÉS

Une demi-tasse de tisane d'hysope chaude toutes les deux heures peut favoriser l'élimination par la transpiration en début de rhume ou de grippe. Le sirop d'hysope apaise la toux. L'hysope ne convient pas à tout le monde, demandez toujours un avis médical.

L'HYSOPE EST UNE CHARMANTE PLANTE TOUFFUE, avec des grappes de fleurs d'un bleu profond et des feuilles vert sombre. Utilisée avec parcimonie, elle peut faire merveille pour relever un plat, grâce à son exaltant parfum mentholé et son goût puissant teinté d'amertume. Ses feuilles peuvent être ajoutées aux salades, tout comme ses fleurs, ou prendre part aux soupes et ragoûts. En plus de s'accorder aux plats riches comme le gibier et l'agneau – elle facilite la digestion –, l'hysope est délicieuse avec le sucré, comme dans les sorbets et les tartes aux fruits. La tisane d'hysope, remède traditionnel contre le rhume, se prépare en versant de l'eau bouillante sur des feuilles d'hysope séchées et broyées, qu'on laisse infuser quinze minutes.

L'hysope pousse à l'état sauvage sur les murs de pierre tiédis et les talus arides du Sud de l'Europe et du Nord de l'Afrique. C'est une plante à feuillage persistant, on peut donc en récolter les feuilles tout au long de l'année. En raison de son odeur plaisante, elle est très appréciée en pot, ainsi que dans les cours d'immeubles et autres espaces verts communs.

Laurus nobilis

Laurier

« On croit que le roi est mort : nous ne resterons pas davantage.
Les lauriers se sont tous desséchés dans notre pays,
Les météorites font se cacher d'effroi les étoiles fixes du ciel. »

WILLIAM SHAKESPEARE, *Richard II*

CULTURE

Faites pousser le laurier à un emplacement abrité et ensoleillé ; il s'épanouit très bien en pot et peut ainsi être mis en intérieur en hiver. Ses feuilles se récoltent tout au long de l'année.

HARMONIES GUSTATIVES

S'accorde avec le bœuf, le poulet, l'agneau, le porc, le gibier, le poisson, les châtaignes, les tomates, les pommes de terre, les lentilles, le riz, l'orange, le citron, les prunes, les figues, la crème.

À ESSAYER

Parfumez la crème de votre *panna cotta* ou crème aux œufs en y faisant tremper une feuille de laurier fraîche. Ajoutez une feuille de laurier dans le plat servant à préparer un gâteau de riz, une compotée de fruits ou des fruits d'automne pochés au vin rouge. Enfoncez quelques feuilles de laurier dans les cavités d'un poisson entier avant de le faire griller.

PROPRIÉTÉS

L'huile essentielle de laurier peut être utilisée en massage sur les entorses ou pour soulager les maux de tête. En cuisine, les feuilles de laurier peuvent contribuer à réduire les flatulences. Une infusion de feuilles de laurier peut favoriser l'élimination par la transpiration en début de rhume ou de grippe. La tisane de laurier peut soigner les troubles digestifs.

D'APRÈS LE MYTHE, le laurier serait né d'un amour non réciproque. Apollon, touché par l'une des flèches d'amour d'Éros, s'était épris de la nymphe Diane, qui ne lui rendait en aucun cas ses sentiments. S'enfuyant vers les bois, elle supplia son père, le dieu fleuve Pénée, de la secourir. Il exécuta son souhait et la transforma en laurier. L'amour d'Apollon n'en fut pas diminué et il veilla sur elle à jamais, se coiffant d'une couronne de ses belles feuilles craquantes aux grandes occasions. La couronne de lauriers devint le plus grand honneur que l'on puisse attribuer aux poètes, d'où le terme « lauréat », qui signifie « coiffé de lauriers ».

Originaire du Moyen-Orient, le laurier que nous connaissons et apprécions tant dans nos cuisines est cultivé depuis longtemps dans le Nord de l'Europe et en Amérique pour son arôme doux et balsamique, avec des notes muscadées. Associée au thym et au persil dans le classique bouquet garni, ou utilisée seule, fraîche ou séchée, la feuille de laurier est indispensable pour parfumer les bouillons, ragoûts, sauces et soupes. Elle a également sa place ajoutée à l'eau de cuisson des pommes de terre ou dans les brochettes au barbecue entre des morceaux de poisson, de viande ou de légumes. Le laurier est classiquement utilisé pour parfumer le lait d'une sauce béchamel ; une vieille coutume moins connue consiste à l'ajouter aux crèmes aux œufs et autres plats sucrés et crémeux. Si vous cuisinez avec des feuilles fraîches, froissez-les ou frottez-les avant utilisation pour en faire ressortir les composants aromatiques ; les feuilles séchées peuvent être émiettées ou moulues à ce même effet.

Lavandula (espèces)

Lavande

« À l'olivier d'argent cède l'osier flexible / L'humble lavande cède au pourpris du rosier… / Pour moi, cet Amyntes, qui se croit invincible / Devient auprès de toi la lavande et l'osier ! »

VIRGILE, *Les Bucoliques*

CULTURE

La lavande s'épanouit dans les sols secs, bien drainés, sableux ou rocailleux, en plein soleil.

HARMONIES GUSTATIVES

S'accorde avec les mûres, les fraises, les abricots, les pêches, les prunes, les figues, l'agneau, le lapin, le canard, le poisson à chair blanche, l'orange, le citron, le chocolat blanc, le fromage de chèvre, les noix, les amandes, le thym, l'origan, le romarin.

À ESSAYER

Faites reposer des fleurs de lavande dans du chocolat blanc fondu, passez au chinois et utilisez le mélange dans vos desserts ou pour faire des truffes. Faites du sucre à la lavande en moulant des fleurs avec un peu de sucre pour les concasser, puis versez le tout dans un bocal, complétez avec du sucre en poudre et refermez soigneusement. Il s'utilise en pâtisserie. Vous pouvez faire la même chose avec du sel pour en imprégner vos viandes.

PROPRIÉTÉS

Respirer de la lavande aide à soulager les maux de tête. Une teinture de lavande vaporisée sur l'oreiller ou une tisane de lavande peut favoriser la relaxation et le sommeil. De l'huile essentielle de lavande ajoutée à de l'eau et versée dans un vaporisateur devient un spray apaisant pour les coups de soleil.

BUISSON ROND AUX FEUILLES GRIS-VERT et aux fleurs en épis intensément parfumées, la lavande est un incontournable de tous les jardins. L'herboriste Nicholas Culpepper a même refusé de la décrire, puisqu'elle « est si bien connue et habite presque tous les jardins ». Parmi les différentes espèces de lavande, on trouve *Lavendula angustifolia* (« lavande vraie »), *Lavendula latifolia* (« lavande aspic ») et *Lavendula stoecha*s (« lavande papillon »). Chacune a ses particularités, même si c'est la lavande vraie qui exhale l'odeur la plus douce.

La lavande, bien sûr, est principalement connue pour son odeur et elle est surtout utilisée en parfumerie, mais ses fleurs et feuilles ont également un rôle à jouer en cuisine. Elle pousse à foison dans les pays méditerranéens, en particulier en Provence, où l'on trouve de vastes étendues mauves de champs de lavande en été. Un bon point de départ pour commencer à l'utiliser en cuisine est de l'associer aux plats de cette région. Elle est particulièrement délicieuse avec des fruits d'été comme les abricots et les pêches, et donne une succulente crème glacée ou crème brûlée. Elle s'accorde aussi étonnamment bien avec le poisson et les viandes telles que l'agneau, le lapin et le gibier (ce qui est logique, étant donné la façon dont ses voisins aromatiques, le romarin et le thym, sont utilisés). Essayez d'ajouter un peu de lavande à une marinade pour de l'agneau ou du poulet, ou d'en imprégner vos viandes avec du sel, d'autres herbes parfumées et un peu d'huile d'olive. Utilisez-la avec modération, car son goût peut masquer les autres. Les feuilles sont plus douces que les fleurs : ajoutez-en un peu aux plats mijotés salés.

Livèche

La livèche – de l'allemand Liebstöckel, *littéralement
« bâton d'amour » – est cultivée avec ferveur en Europe
depuis l'Antiquité.*

CULTURE

Plante vivace robuste, la livèche est facile à faire germer, mais vous pouvez également l'acheter en pot pour la mettre en terre. Elle boit beaucoup d'eau, alors veillez à ce que sa terre reste humide.

HARMONIES GUSTATIVES

S'accorde avec les tomates, les petits pois, les haricots secs, les lentilles, les carottes, les pommes de terre, les poireaux, la laitue, le concombre, le jambon, le poulet, le poisson fumé, le poisson à chair blanche, le fromage.

À ESSAYER

Ajoutez quelques feuilles de livèche à une soupe de pois ou une soupe de poireaux-pommes de terre pour lui donner un délicieux parfum de curry. Utilisez de jeunes feuilles de livèche finement hachées dans une sauce pour accompagner du concombre, ou dans un sandwich au concombre. Ajoutez de la livèche ciselée à une sauce tomate.

PROPRIÉTÉS

Une décoction de ses racines peut soulager l'indigestion, la cystite, la goutte et les douleurs menstruelles. Elle s'utilise également en bain de bouche en cas d'aphtes et d'angine. Ses graines se mâchent pour lutter contre les flatulences. À éviter en cas de grossesse ou de problèmes rénaux.

Membre de la famille des ombellifères, la livèche est la cousine tout en hauteur du persil (page 159) ; elle peut atteindre la taille vertigineuse de 2,5 mètres. Leur parenté est facile à voir étant donné sa ressemblance avec le persil plat, même si les feuilles de la livèche sont plus grandes et plus foncées. La livèche peut remplacer le persil en cuisine, mais son goût est plus chaleureux et plus relevé. Elle peut également se substituer au céleri (voir page 36) – la livèche est d'ailleurs parfois appelée «céleri bâtard».

Intensément aromatique, avec des notes de persil, de céleri, d'anis et de curry, la livèche est très appréciable à cultiver. Elle a de nombreux usages en cuisine, mais gardez à l'esprit que de toutes petites quantités suffisent. Une feuille ou deux seulement parfumeront vos salades, bouillons, soupes et plats mijotés. Les tiges les plus épaisses peuvent être épluchées et blanchies, puis assaisonnées d'une vinaigrette, tandis que les graines sont parfois moulues, et également utilisées en assaisonnement. Si vous faites pousser votre livèche vous-même, sachez que sa racine peut se faire cuire de la même manière que le céleri-rave. La cuisinière et auteur de livres de cuisine britannique Nigella Lawson adore la livèche. Dans son livre *How to Eat* (1998), elle conseille d'en ajouter – de façon presque systématique – aux gratins et aux soupes épaisses. Elle cultive sa livèche qu'elle a elle-même fait germer, puis plantée au jardin : «Aujourd'hui, à chaque printemps, elle renaît encore plus grande, ses longues branches touffues élancées vers le ciel, magnifiquement architecturale. »

En tant qu'herbe médicinale, la livèche a été recommandée comme remède contre les rhumatismes, le mal de gorge et l'indigestion. À l'époque médiévale, on préparait un sirop à partir de ses feuilles. Les voyageurs glissaient également quelques feuilles de livèche dans leurs chaussures en guise de déodorant pour les pieds.

Ambulie aromatique

*Poussant dans l'eau des rizières d'Asie du Sud-Est à la saison
des pluies, l'ambulie aromatique, avec ses longues feuilles
flottant en volutes autour d'une tige épaisse, est une plante
à fleurs tropicales de la famille des plantaginacées.*

CULTURE

Le plus simple est de trouver quelqu'un qui en a une (tentez votre chance auprès d'un épicier thaï ou vietnamien) et de lui en demander des pousses fraîches. Placez les pousses dans l'eau et couvrez-le d'un sac plastique pour maintenir l'humidité : cela constitue une sorte de miniserre. Quand vous trouvez que suffisamment de racines se sont formées, plantez-la dans le sol.

HARMONIES GUSTATIVES

S'accorde avec le lait de coco, le poisson, les nouilles, les échalotes, les légumes verts, les légumes-racines, la citronnelle, la coriandre, le citron vert.

À ESSAYER

Saupoudrez de l'ambulie grossièrement hachée sur vos soupes de poisson aigres-douces.

PROPRIÉTÉS

Une infusion d'ambulie peut être utilisée pour faire baisser la fièvre et dégager les sinus. L'odeur des feuilles est relaxante et rafraîchissante.

LES VIETNAMIENS SONT probablement les plus grands consommateurs d'ambulie et l'ajoutent aux soupes de légumes, aux plats de poisson et au *canh chua,* une soupe à base de bouillon parfumé au tamarin. Elle a été introduite en Amérique du Nord dans les années 1970 lors de la vague d'immigration vietnamienne qui suivit la guerre du Vietnam.

Le nom de cette herbe fait allusion à son milieu naturel : *limnophila* signifie «qui aime les étangs». Avec son odeur plaisante fleurie et acidulée et son goût très prononcé où se mêlent le cumin et le citron, l'ambulie est odorante et délicate, et s'accorde bien avec la coriandre et la citronnelle. Son goût a été décrit comme évoquant l'air laissé après un violent orage d'été.

Chèvrefeuille

*Son nom lui vient d'une légende selon laquelle les chèvres
en broutent les jeunes pousses pour s'enivrer.*

CULTURE

Les chèvrefeuilles grimpants, comme *Lonicera caprifolium*, préfèrent les sols fertiles, humides et bien drainés, et poussent plus vite en plein soleil.

À ESSAYER

Faites du sirop de chèvrefeuille : mettez une ou deux poignées de fleurs de chèvrefeuille dans un saladier et versez suffisamment d'eau bouillante dessus pour les recouvrir. Laissez reposer une nuit, puis égouttez. Mesurez l'eau ainsi parfumée et faites-la chauffer avec un volume égal de sucre, en remuant jusqu'à ce que le sucre soit dissous. Faites mijoter deux à trois minutes, puis laissez refroidir. Utilisez ce sirop dans des boissons ou versez-le sur des fruits, de la glace, des sorbets et des gâteaux.

PROPRIÉTÉS

La tisane de fleurs de chèvrefeuille, additionnée d'un peu de miel, peut renforcer le système immunitaire et apaiser les maux de tête. L'huile extraite des jeunes arbustes odorants, utilisée en aromathérapie, peut soulager la tension mentale et physique.

SON PARFUM EST EMBLÉMATIQUE des soirées d'été. Plante grimpante vivace à feuilles caduques, le chèvrefeuille pousse le plus souvent le long des murs ou en s'entrelaçant aux arbres et aux haies. Avec ses feuilles ovales vert pâle et ses fleurs tubulaires blanc crème teinté de rose, il est exceptionnellement joli, même si ses baies sont toxiques. Ses feuilles amères ont autrefois été un mets de choix pour les chèvres, d'où son nom et celui d'une de ses variétés, *Lonicera caprifolium*. Il existe 180 variétés de chèvrefeuille, dont 100 en Chine, le reste étant originaire d'Inde, d'Europe et d'Amérique du Nord. Son nom botanique, *Lonicera*, lui vient du botaniste de la Renaissance Adam Lonitzer, qui a écrit un herbier, *Kräuterbuch*, en 1557.

Le chèvrefeuille a une longue histoire d'usages médicinaux. Pline l'Ancien recommandait de la prendre avec du vin contre le vague à l'âme, et il a été répertorié dans le *Tang Bencao* (le texte fondateur de la médecine traditionnelle chinoise) en 659 avant J.-C. comme l'une des plus importantes herbes chinoises servant à chasser un poison de l'organisme. L'herboriste du XVIᵉ siècle John Gerard cultivait le chèvrefeuille dans son jardin et l'utilisait pour faire passer le hoquet. On sait qu'il a une forte teneur en vitamine C et contient de la quercétine, un agent anti-inflammatoire.

Mélisse

*Elle ressemble à la menthe, mais elle a le goût du citron. Cette plante qui se ressème volontiers et attire irrésistiblement les abeilles (*melissa *signifie « abeille » en grec) dégage une odeur citronnée tenace et a connu de nombreux usages médicinaux au fil de l'histoire.*

CULTURE

La mélisse peut atteindre 75 cm de hauteur. Comme la menthe, elle a tendance à proliférer et pousse aussi bien au jardin qu'en pot, tant qu'elle a une bonne terre, qu'elle est à l'abri de la chaleur excessive et qu'elle ne manque pas d'eau.

HARMONIES GUSTATIVES

S'accorde avec les abricots, les figues, les fraises, le melon, les carottes, les courgettes, les champignons, le fenouil, les tomates, le fromage frais, le porc, le poulet, le poisson.

À ESSAYER

Mélangez de la mélisse finement hachée avec du beurre mou, puis introduisez ce mélange sous la peau d'un poulet avant de le faire rôtir, afin de lui donner un délicat goût citronné. Faites de l'eau à la mélisse : remplissez un pot de feuilles de mélisse, ajoutez un citron finement tranché et complétez avec de l'eau glacée.

PROPRIÉTÉS

Une infusion de feuilles de mélisse fraîches ou séchées peut soulager l'indigestion, les nausées et la fatigue nerveuse ; utilisez une crème à la mélisse sur les piqûres d'insectes et de l'huile de massage à la mélisse pour apaiser les tensions et les états dépressifs modérés. Remarque : les baies sont toxiques.

AVEC SES TIGES carrées et ses feuilles par paires, la mélisse est sous-estimée au jardin ; elle est pourtant facile à cultiver et très résistante aux maladies. L'huile essentielle contenue dans la plante est très appréciée des aromathérapeutes, qui la considèrent comme apaisante et bénéfique pour le moral. Elle est parfois ajoutée aux produits de soin pour la peau, comme anti-inflammatoire.

La mélisse est traditionnellement utilisée comme remède contre des maux aussi divers que la chute de cheveux, la dépression et les maux de tête. Des essais à petite échelle ont montré qu'elle a des propriétés antivirales et antioxydantes. Il n'est par ailleurs pas nécessaire de démontrer l'efficacité d'une tisane de mélisse un soir de début d'été, ni celle d'un verre de vin à la mélisse, dont le mémorialiste et botaniste du XVIIe siècle John Evelyn estimait qu'il pouvait «réconforter le cœur et chasser la mélancolie et la tristesse».

Pour cuisiner, choisissez les jeunes feuilles, plus tendres, en haut de la plante. Son odeur citronnée indique bien qu'elle peut être utilisée partout où vous utiliseriez du citron : dans les sauces au beurre pour accompagner le poisson ou le poulet, dans les farces, les salades, les sauces et les desserts, ou pour parfumer la crème, mais aussi les crèmes aux œufs.

Menthe

*Avant l'inévitable dénouement du roman
de Francis Scott Fitzgerald* Gatsby le Magnifique *(1925),
les personnages principaux posent les yeux sur une herbe
à l'allure captivante dans un moment de passion.*

CULTURE

La menthe est facile à cultiver : elle peut prospérer sur les sols les plus pauvres, c'est donc une excellente herbe pour débuter en jardinage. La faire pousser en pot lui évite de proliférer. Taillez-la régulièrement – ce sont les feuilles les plus jeunes et les plus petites qui sont les plus mentholées. Faites pousser les différentes variétés séparément pour éviter l'hybridation.

HARMONIES GUSTATIVES

S'accorde avec les pommes de terre, les petits pois, le concombre, les tomates, les poivrons, les carottes, les courgettes, la feta, l'ananas, les fraises, les figues, le cassis, les myrtilles, le chocolat, l'agneau, le canard, le bœuf, la semoule, le riz, le yaourt, l'ail, le piment, le citron vert, le citron, le persil, la coriandre.

« DÉBOUCHE LE WHISKY, Tom, ordonna Daisy, et je te préparerai un julep. Alors tu ne te sentiras plus aussi stupide... Regardez-moi cette menthe ! » Il n'y a pas de détail narratif plus parlant pour clarifier exactement ce qui fait que cette menthe mérite d'être regardée, ni d'explication sur le fait que la menthe peut être un remède à la stupidité. D'ailleurs, ce n'est peut-être pas la meilleure herbe à prescrire aux hommes : la menthe a par le passé été associée à des épisodes de soldats perdant leur courage et – d'après Pline l'Ancien – elle « entrave la reproduction en empêchant le liquide séminal d'atteindre la consistance requise ». Cependant, il se peut que Daisy ait tout de même été sur une piste : la menthe peut soulager les estomacs barbouillés et purifier une mauvaise haleine.

« Menthe » est le nom usuel des plantes du genre Mentha. Il en existe des centaines de variétés – de la menthe panachée à la menthe gingembre en passant par la menthe eau de Cologne –, mais elles se regroupent en deux catégories de base : la menthe poivrée (voir page 120) et la menthe verte (voir page 122). La première est celle que nous utilisons surtout en cuisine, tandis que la seconde est plus relevée, poivrée et piquante, avec des qualités rafraîchissantes – elle est plus adéquate à boire en tisane ou dans les desserts.

Cette herbe aux multiples usages est un ingrédient central dans les spécialités de régions aussi diverses que le Moyen-Orient, le Mexique, l'Angleterre, l'Italie, la Grèce et le Vietnam. Certaines constantes ressortent : l'association de l'agneau et de la menthe, par exemple, dans la spécialité anglaise d'agneau rôti accompagné de sauce à la menthe et dans les kebabs du Moyen-Orient ; et le trio menthe, concombre et yaourt dans le *raïta* en Inde et dans le tzatziki en Grèce.

Menthe poivrée

Les Romains de l'Antiquité se couronnaient de menthe poivrée
lors de leurs banquets ; le philosophe Pline l'Ancien leur avait
enseigné que cela stimulait l'esprit et le cœur.

À ESSAYER

Concoctez une tisane de menthe poivrée : faites infuser une poignée de feuilles de menthe poivrée dans de l'eau bouillante pendant cinq minutes environ, puis égouttez. Elle se boit chaude ou froide.

PROPRIÉTÉS

Dégagez un nez bouché en plongeant des brins de menthe poivrée fraîche dans un bol d'eau bouillante. Prenez-la en infusion pour apaiser l'indigestion, les flatulences et le rhume – certaines études montrent que la menthe poivrée est également efficace contre le syndrome de l'intestin irritable. Utilisez une huile de massage à la menthe poivrée pour soulager des muscles endoloris.

CROISEMENT ENTRE LA MENTHE aquatique et la menthe verte, la menthe poivrée est originaire d'Europe et du Moyen-Orient, et est aujourd'hui largement cultivée dans le monde entier. Elle n'a pas toujours été vue comme un croisement : le botaniste suédois et père de la taxinomie moderne Carl von Linné l'a répertoriée comme espèce à part entière en 1753, à partir de spécimens trouvés en Angleterre. En tant que croisement, la menthe poivrée est généralement stérile, elle ne produit pas de graines et se reproduit par ses rhizomes. Elle pousse où qu'on la plante, et rapidement.

La menthe poivrée a des tiges carrées lisses et des racines charnues et légèrement filandreuses. Ses feuilles vert sombre ont des nervures tirant sur le rouge et des bords dentelés. C'est sa forte teneur en menthol – 40 %, tandis que la menthe verte n'en contient que 0,5 % – qui lui confère son odeur et son arôme intensément mentholés. Elle est de ce fait particulièrement appréciable en tisane, mais aussi dans les desserts et en pâtisserie. Sa forte teneur en menthol en fait également une herbe extrêmement prisée des herboristes. Entre autres nombreux usages, elle permet de faire diminuer les nausées et les symptômes du rhume, d'apaiser l'indigestion et le syndrome de l'intestin irritable – d'où la tradition des confiseries à la menthe en fin de repas pour rafraîchir l'haleine et faciliter la digestion.

Un de ses usages les meilleurs et les plus simples est d'en placer dans une théière et de compléter avec de l'eau bouillante pour faire une tisane. Au Maroc, on y ajoute du thé vert de Chine et une généreuse dose de sucre, puis on laisse le mélange infuser brièvement, pour en renforcer le parfum.

Mentha spicata

Menthe verte

*Également appelée « menthe en épi » en raison de la forme de ses fleurs,
ou « menthe douce » par opposition à sa cousine « poivrée », la menthe
verte est originaire d'une grande partie du territoire européen et d'Asie,
et a été naturalisée partout, de l'Afrique aux deux Amériques.*

À ESSAYER

Pour faire un Mint Julep, faites bouillir 100 g de sucre dans 50 ml d'eau et remuez pour dissoudre. Ajoutez six brins de menthe verte et laissez refroidir, puis passez au chinois. Mettez une cuillerée de ce sirop dans un verre glacé et écrasez une feuille de menthe dedans. Complétez avec de la glace pilée, puis versez pour finir une double mesure de bourbon, et mélangez bien. Ajoutez un brin de menthe pour servir.

TRÈS COURANTE DANS LES JARDINS, la menthe verte peut atteindre jusqu'à un mètre de hauteur et se reconnaît à ses feuilles vert sombre très nervurées et dentelées. Ses épaisses tiges carrées – caractéristique bien connue des espèces de la famille des menthes – sont parfois velues, parfois pas, et ses minuscules fleurs tubulaires mauves, semblables à celles de la menthe poivrée, poussent en épis ou spires. Cette herbe est depuis longtemps utilisée pour soulager les maux de tête et le stress, et comme remède contre les flatulences et le hoquet (elle détend les muscles de l'estomac). Dans la vie courante, la menthe verte est un parfum classique de dentifrice et de chewing-gum pour rafraîchir l'haleine ; elle peut aussi être mélangée à du yaourt pour faire un masque facial.

La menthe verte ne contenant que très peu d'huile essentielle, c'est-à-dire de menthol, elle est moins forte que la plupart des menthes, ce qui en fait l'espèce la plus prisée en cuisine. Même si c'est la menthe poivrée (voir page 120) qui est le plus souvent utilisée pour faire le thé à la menthe, la tisane de menthe verte a un goût très agréable bien à elle.

Menthe panachée

La menthe panachée est une variété de la menthe odorante, originaire du Sud de l'Europe et des régions méditerranéennes occidentales.

POUVANT ATTEINDRE DIVERSES hauteurs variant entre 40 cm et 1 m, la menthe panachée, très prisée des papillons, s'orne de petites fleurs mauves hérissées en épis denses et de feuilles vertes bosselées et velues aux bords d'un blanc crémeux. Son arôme particulier fruité, mentholé, aux notes tropicales, en fait une espèce bien à part parmi les nombreuses variétés de menthe.

Préférant les milieux humides, la menthe panachée est souvent cultivée comme plante ornementale, mais elle peut être utilisée en cuisine dans toute recette faisant appel à la menthe. Elle s'accorde très bien à l'ananas dans les salades de fruits ou les sauces, et est succulente dans un mojito ou un sorbet.

Microméries

*Tirant leur nom des mots grecs signifiant « petit » (micros)
et « portion » (meris), les microméries sont un genre d'arbustes nains
très répandus autour de la Méditerranée, dans l'Est de l'Afrique,
en Amérique du Nord et dans certaines parties de l'Asie.*

CULTURE

Faites-la germer en pot dans du terreau bien drainé, ou dans le jardin. Ses feuilles se récoltent du printemps à la fin de l'été.

À ESSAYER

Micromeria fruticosa donne une tisane rafraîchissante. *Micromeria thymifolia* peut être utilisée à la place du thym pour ses notes chaleureusement aromatiques ; essayez-la dans les soupes et les farces, avec les grillades de viandes et de légumes, ou avec des tomates et du fromage frais.

PROPRIÉTÉS

La tisane de microméries aiderait à faire baisser la tension artérielle et à combattre l'insomnie, le stress et les difficultés de digestion chroniques.

LES MICROMÉRIES – membres de la famille des Lamiacées (anciennement *Labiatae*), ainsi nommés car leurs feuilles ont la forme d'une bouche – sont de petits arbustes touffus mais de forme très harmonieuse. Leurs feuilles compactes et arrondies peuvent être utilisées en cuisine et pour faire des tisanes, et constituent en la matière une alternative délicate aux goûts plus traditionnels que sont le thym et la menthe. Il en existe une grande diversité : de *Micromeria acropolitana* en Grèce (que l'on avait crue éteinte, mais qui fut redécouverte en 2006), à *Micromeria weilleri*, qui pousse au Maroc. Certaines variétés ont été utilisées à des fins médicinales. *Micromeria chamissonis*, par exemple, connue sous le nom de *yerba buena*, signifiant « bonne herbe », peut servir à faire une infusion contre l'insomnie, le rhume et la fièvre, et a même été utilisée sous forme de décoction comme aphrodisiaque.

Une sous-espèce de micromérie relativement facile à se procurer, la « menthe romaine », est originaire d'Italie. La légende dit qu'elle aurait été trouvée parmi les ruines de la villa d'été de l'empereur Hadrien près de Rome. Ses petites feuilles arrondies vert-gris sont très odorantes, ce qui en fait une excellente plante à tisane. Vous pouvez également l'essayer pour parfumer vos plats à base d'œufs ou de tomate.

Monarde

Parfois appelée « bergamote » ou « mélisse d'or »,
la monarde est cependant une espèce bien distincte de ces
deux-là, et se présente sous les traits d'une magnifique
plante sauvage originaire d'Amérique du Nord.

CULTURE

Trop haute pour les rebords de fenêtre, la monarde peut se cultiver dans de grands pots à un emplacement ombragé, ou directement au jardin. Veillez à ce que le sol reste humide.

HARMONIES GUSTATIVES

S'accorde avec le porc, le poulet, le canard, le poisson, les agrumes, les fraises, les pommes.

À ESSAYER

Ajoutez des feuilles et fleurs de monarde à vos salades vertes et salades de fruits. Faites une sauce pour accompagner vos poissons grillés en mélangeant de la monarde et du persil finement hachés avec des quartiers d'orange coupés en dés. Concoctez votre propre thé d'Oswego en ajoutant des feuilles de monarde fraîche à une tasse de thé – vous pouvez également ajouter ces feuilles au vin et à la limonade.

PROPRIÉTÉS

En infusion, elle peut soulager la fièvre, le rhume, les sensations d'oppression dans la poitrine, la toux, les nausées et les problèmes digestifs.

AVEC SES FLEURS aux couleurs éclatantes roses, blanches, violettes ou rouge vif, et ses feuilles ovales vertes veinées de rouge, si la monarde est parfois confondue avec la bergamote, ce n'est qu'à cause de son odeur aux notes acidulées – même si certains trouvent qu'elle se rapproche plutôt de l'origan par son parfum et son goût. La monarde tient son nom du botaniste et médecin espagnol du XVIe siècle Nicolás Monardes, fils d'un libraire italien et auteur du premier herbier américain, *Joyfull Newes out of the New Found Worlde* (1577). Même s'il n'est jamais allé jusqu'en Amérique, Monardes a pu écrire sur sa flore, car il était natif de Séville, important centre de navigation et de commerce à l'époque.

La monarde est également appelée «thé d'Oswego», car sa variété sauvage, aux fleurs violettes, pousse autour de la rivière Oswego, près du lac Ontario. Les Indiens d'Amérique de la région l'utilisaient autrefois en raison de sa forte teneur en thymol, un puissant antiseptique pouvant soigner le rhume et les affections bronchiques. Après la Boston Tea Party de 1773, le thé d'Oswego a temporairement remplacé le thé indien.

Les jeunes feuilles de monarde sont délicieuses hachées dans les salades vertes et les salades de fruits ; il est préférable de ne pas l'utiliser une fois ses feuilles devenues épaisses et velues. Vous pouvez ajouter ses fleurs et ses feuilles séchées à un pot-pourri.

Cerfeuil musqué

Parmi les plantes sucrées que nous offre la nature,
le cerfeuil musqué est très largement sous-estimé :
cette plante vivace est un must en matière de douceur.

CULTURE

Semez vos graines de cerfeuil musqué en automne – elles ont besoin de l'hiver pour germer – ou faites-le pousser en pot à partir d'avril. Il s'autosème, alors prenez garde (et retirez-en les graines à mesure qu'elles se forment si vous ne voulez pas que la plante devienne envahissante).

HARMONIES GUSTATIVES

S'accorde avec les abricots, les groseilles, les pêches, la rhubarbe, les fraises, le concombre, les fèves, les tomates, les courgettes, le poulet, les fruits de mer, les œufs, les fromages à pâte molle.

À ESSAYER

Ajoutez du cerfeuil musqué à vos pavés de poisson cuits en papillotes, accompagné d'un filet de vin blanc, ou utilisez-le pour combler les cavités d'un poisson entier avant de le faire cuire au four ou au barbecue. Incorporez du cerfeuil musqué à un risotto aux fruits de mer en fin de cuisson.

PROPRIÉTÉS

Versez de l'eau frémissante sur du gingembre finement émincé et du cerfeuil musqué et laissez infuser afin de préparer une tisane qui peut faciliter la digestion.

À NE PAS CONFONDRE avec la ciguë, à laquelle il ressemble, le cerfeuil musqué est ravissant à voir dans les jardins et sous-bois, avec ses longues feuilles ciselées aux allures de fougère qui apparaissent très tôt au printemps, offrant quelque chose à récolter avant la fin des gelées. Ses belles fleurs blanches caractéristiques apportent une précieuse contribution à tout jardin botanique, avec leur douce senteur de réglisse – d'où *odorata*, qui signifie « odorant ». Jadis, le cerfeuil musqué était utilisé par les herboristes pour soigner la toux et les flatulences, tandis qu'une décoction de ses racines était utilisée contre les morsures de serpent et de chien. Boire un verre de lait chaud dans lequel ont trempé quelques graines de cerfeuil musqué avant d'aller se coucher aiderait à éviter l'insomnie.

Avec ses notes de miel et d'anis, le cerfeuil musqué s'apprécie dans certaines tartes aux fruits (rhubarbe, groseilles, pommes), dont il atténue l'acidité : une poignée de feuilles ajoutée à votre préparation permet d'utiliser moins de sucre. Son parfum disparaît à la cuisson, alors ajoutez un peu de cerfeuil musqué haché en fin de cuisson. Le cerfeuil musqué s'accorde également bien avec les fruits et les aliments rafraîchissants comme le concombre et les feuilles de salade verte. Cette herbe douce, si souvent associée aux fruits, a une surprenante affinité avec les fruits de mer, son goût anisé imitant celui d'un autre grand allié du poisson : le pastis. Ses racines étaient traditionnellement cuisinées et servies comme légume, ou râpées crues dans les salades ; on peut également en faire du vin de pays sans raisin.

Il est très peu probable que vous trouviez du cerfeuil musqué dans le commerce, mais il est facile à faire pousser, et vous pourrez en récolter les feuilles entre le printemps et l'automne.

Myrte

Herbe de l'amour, le myrte est un arbuste à feuillage
persistant aux petites feuilles ovales et brillantes,
aux fleurs blanches odorantes et aux fruits bleu-noir
ressemblant aux baies de genièvre.

CULTURE

Plantez-le en extérieur à la fin du printemps à un emplacement bien drainé et abrité, puis replantez-le à un emplacement abrité mais bien ensoleillé une fois grand ; ou faites-le pousser en pot et mettez-le en intérieur l'hiver.

HARMONIES GUSTATIVES

S'accorde avec le poisson, le poulet, le veau, le chevreuil, le lièvre, le sanglier, le porc, l'agneau.

À ESSAYER

Les feuilles de myrte peuvent être utilisées dans toute recette faisant appel aux feuilles de laurier (en plus de celui-ci). Elles sont particulièrement savoureuses ajoutées en fin de cuisson à l'agneau rôti.

PROPRIÉTÉS

Les herboristes recommandent l'huile essentielle de myrte pour divers maux, comme les plaies, les rides et l'impuissance.

TOUTES LES PARTIES de l'étincelant myrte sont aromatiques, de ses douces feuilles vert orangé à ses fleurs en étoile délicatement parfumées. Vénus, déesse de l'Amour, est représentée émergeant des eaux sous une pluie de fleurs de myrte dans le célèbre tableau peint par Botticelli dans les années 1480. De là est venue la coutume de tenir une couronne de myrte au-dessus de la tête des jeunes mariées pendant les cérémonies de mariage dans de nombreux pays européens. La reine Victoria en avait eu vent et avait ordonné de faire pousser du myrte à Osborne House, sur l'île de Wight, instaurant ainsi la tradition pour les jeunes mariées de la famille royale de porter des brins de myrte à leur mariage, aujourd'hui encore respectée.

Le myrte est surtout connu pour son utilisation culinaire en Italie et au Moyen-Orient, et est le plus souvent associé au poisson, au porc ou au gibier.

Ses feuilles sont séchées et utilisées comme des feuilles de laurier, mais peuvent aussi se conserver dans de l'huile d'olive ou s'utiliser fraîches pour parfumer les aliments cuits au feu de bois. Ses baies peuvent également être séchées et s'utiliser comme épice. C'est peut-être pour leur rôle dans l'assaisonnement de la mortadelle qu'elles sont le plus connues. Le myrte pousse à l'état sauvage en Sardaigne, où les repas sont souvent terminés par un verre de *mirto*, une liqueur produite soit avec ses baies (*mirto rosso*), soit avec ses feuilles (*mirto bianco*).

Cataire

*Également appelée « chataire », il s'agit de la fameuse
(et inoffensive) herbe aux effets euphorisants sur les chats.*

CULTURE

Offrez à la cataire un sol riche et bien drainé, beaucoup d'eau et, si possible, un emplacement en plein soleil. Les jeunes pousses peuvent être petites et délicates, alors faites-la germer en intérieur au printemps ou, si vous le faites en extérieur, abritez les jeunes plants sous un écran de maillage métallique protecteur.

À ESSAYER

Préparez une salade italienne à la mode du XVIᵉ siècle avec de la cataire, de la laitue, de la menthe, du fenouil, du persil, du cresson, du cerfeuil, de la chicorée et des feuilles de pissenlit, assaisonnée avec beaucoup de sel, de l'huile et du vinaigre. Associez-la à la camomille ou à la menthe pour un effet encore plus relaxant.

PROPRIÉTÉS

Buvez une infusion de cataire pour faire passer le rhume, la grippe et l'indigestion. Un lavement à la cataire peut être utilisé pour nettoyer le côlon. Appliquez un onguent à la cataire sur les hémorroïdes deux à trois fois par jour.

LES CHATS DOMESTIQUES s'y roulent avec bonheur, car en froisser les brins exhale son odeur douce et mentholée, due à un composant chimique appelé «népétalactone». Ils en sont fous et la mâchonnent, s'y frottent la tête et se roulent dessus avec délectation. Il semblerait même qu'elle attise le désir sexuel (celui des chats, bien entendu). On dit que la taille du félin est sans importance : la cataire a des effets semblables sur les jaguars, les tigres, les léopards et les lions.

La cataire est utilisée depuis des siècles comme relaxant pour les humains – en particulier chez les enfants hyperactifs. Cette plante vivace plutôt élégante, vert-gris, aux tiges carrées, aux feuilles dentelées en forme de cœur et surmontée de fleurs en épis, a été utilisée pour soigner les maux d'estomac, comme antiparasite, mais aussi pour soulager le stress et même l'arthrite, certains herboristes préférant en utiliser les sommités fleuries. Certaines études suggèrent que la cataire a des propriétés de mucilage, ce qui la rend efficace contre la toux : le mucilage tapisse la gorge et apaise l'irritation. La cataire a même été fumée comme substance récréative. Elle est moins couramment utilisée en cuisine – elle l'est surtout en Italie –, mais elle apporte une touche d'originalité très bienvenue aux salades. Elle est le plus souvent consommée en tisane.

Ocimum basilicum

Basilic

Nous voici en terrain royal. Le basilic est véritablement le roi des herbes, son nom latin venant du mot grec signifiant « roi » ou « empereur » : basileus.

CULTURE

Faites-le pousser en intérieur sur un rebord de fenêtre ensoleillé, ou en extérieur à un emplacement bien abrité et également ensoleillé.

HARMONIES GUSTATIVES

S'accorde avec les aubergines, les tomates, les courgettes, le fromage de chèvre, la mozzarella, le citron, les œufs, la menthe, les fruits de mer, l'agneau, le poulet, les pêches, les framboises, les fraises, les figues.

À ESSAYER

Agrémentez vos fraises de quelques lambeaux de feuilles de basilic. Ajoutez une poignée de feuilles de basilic à votre recette de crème glacée à la fraise. Pochez des pêches blanches dans du sirop de sucre avec une poignée de feuilles de basilic, puis ajoutez encore un peu de basilic haché au moment de servir.

PROPRIÉTÉS

Scorpions dans le cerveau mis à part, le basilic est réputé avoir des propriétés anti-inflammatoires et antibactériennes. Il a par ailleurs une forte teneur en bêtacarotène et en vitamine A.

CETTE HERBE AUX FEUILLES TENDRES, très parfumées, aux accents poivrés avec une touche de menthe, a de vastes connotations poétiques, royales et religieuses. Au Portugal, les jours de la Saint-Jean et de la Saint-Antoine (tous deux en juin), un arbrisseau de basilic est traditionnellement présenté dans un pot avec un poème et un pompon. En français, il est surnommé l'« herbe royale », et John Keats a écrit le long poème narratif « Isabella, ou le pot de basilic » en 1818 sur ce sujet, qui avait été traité par plusieurs artistes pré-raphaëliens. Il a longtemps été dit que le basilic avait éclos au pied de la croix sur laquelle le Christ a été crucifié, c'est pourquoi il est utilisé pour faire les bénédictions avec de l'eau bénite dans l'église orthodoxe grecque. En Inde, où il est consacré à Vishnou et Krishna, on trouve du basilic dans tous les foyers hindous. Il est toujours appréciable d'en avoir à portée de main : il semblerait qu'il protège du regard mortel de la bête mythologique du même nom, le Basilic.

Les avis sont plus divergents concernant les bienfaits du basilic pour la santé : selon Nicholas Culpepper, le médecin français Hilaire pensait que trop respirer du basilic pouvait faire éclore des scorpions dans le cerveau, tandis que l'herboriste anglais du XVIIe siècle William Salmon, pour sa part, affirmait que le jus de basilic était bon pour « les tourments du cœur et les accès d'émois ».

La culture du basilic a commencé il y a 3 000 ans en Inde, au Moyen-Orient et sur certaines îles du Pacifique, et est arrivée en Europe occidentale avec les marchands d'épices du XVIe siècle. Bien entendu, nous le connaissons et l'apprécions aujourd'hui en tant qu'herbe emblématique de l'été, irremplaçable interlocuteur entre la tomate et la mozzarella, et ingrédient fondamental du pesto italien et du pistou français. Cette herbe au parfum enivrant a d'infinis usages culinaires et ne déçoit jamais ceux qui s'essaient à quelques expérimentations avec lui.

Basilic thaï

*Originaire d'Asie du Sud-Est, cette robuste variété
de basilic est très appréciée pour son goût d'anis,
de girofle et de réglisse.*

À ESSAYER

Ajoutez du basilic thaï aux poêlées de bœuf, de poulet ou de légumes. Vous pouvez également l'utiliser dans une sauce à la mangue : mélangez de l'oignon rouge coupé en petits dés et du piment à des dés de mangue, un jus de citron vert et du basilic thaï.

AVEC SES PETITES FEUILLES étroites et brillantes veinées de violet, ses tiges violettes et ses fleurs tirant sur le rose, le basilic thaï peut atteindre un honorable 45 cm. Il est très utilisé dans les currys en Thaïlande, au Vietnam, au Laos et au Cambodge, surtout lorsqu'ils sont à base de lait de coco. C'est également un ingrédient essentiel pour parfumer la soupe *pho* vietnamienne aux nouilles, et un composant majeur du plat taïwanais populaire *sanbeiji*, ou « poulet aux trois tasses », fait avec une tasse de sauce soja, une tasse de vin de riz et une tasse d'huile de sésame.

Il ne faut pas confondre le basilic thaï avec le tulsi (*Ocimum tenuiflorum*), parfois appelé « basilic thaï sacré ». Sur le sous-continent indien, le tulsi est largement utilisé comme plante médicinale et pour faire des tisanes, mais il joue également un rôle important dans la tradition vishnouiste de l'hindouisme : les plantes ou feuilles de tulsi font partie intégrante du culte célébré par les adeptes – leur couleur violacée rappelle le teint de peau brun de Krishna.

Ocimum basilicum var. *purpurascens*

Basilic pourpre

Avec ses feuilles d'une majestueuse couleur et son goût réconfortant de réglisse, cette variété de basilic pousse plus lentement que ses cousins, mais il vaut la peine que l'on prenne patience.

HARMONIES GUSTATIVES

S'accorde avec les aubergines, les tomates, les courgettes, le fromage de chèvre, la mozzarella, le fromage frais, le riz, le citron, les œufs, la menthe, les fruits de mer, l'agneau, le poulet, les pêches, les framboises, les fraises, les figues.

À ESSAYER

Toutes les suggestions concernant le basilic (page 136) s'appliquent aussi bien au basilic pourpre.

CRÉÉ DANS LES ANNÉES 1950 à l'université du Connecticut, le basilic pourpre est un cousin du classique basilic vert, mais aux feuilles d'une somptueuse couleur violacée aux nuances vert métallique.

Avec ses fleurs rose pâle et sa délicieuse odeur où se mêlent des notes de girofle et de menthe, le basilic pourpre est tout autant cultivé pour sa valeur ornementale que pour ses usages culinaires. À mesure que la plante prend de l'âge, ses magnifiques feuilles prennent une teinte de plus en plus foncée. Sa couleur s'explique par la présence d'anthocyanes, substance que l'on trouve également dans les aubergines, les oranges sanguines et les feuilles de pérille de Nankin (page 155), qui contiendraient des antioxydants aux vertus protectrices pour de nombreuses parties de l'organisme.

Le basilic pourpre peut être utilisé dans toutes les recettes où l'on utilise habituellement du basilic. Avec son goût chaleureux et sa couleur intense, il ajoute une originalité particulièrement appréciable aux salades et poêlées. Pour un effet encore plus soutenu, associez-le aux aliments blancs, comme le risotto, les pêches blanches ou le fromage frais ; essayez-le dans la traditionnelle *insalata tricolore* italienne, pour une jolie variante au trio de couleurs rouge-vert-blanc habituel. Si vous faites macérer du basilic pourpre dans du vinaigre, le vinaigre prendra une charmante teinte mauve. Le pesto, lui aussi, sera d'une tout autre couleur si vous le faites avec cette variété de basilic, et son goût n'en sera que plus relevé.

Marjolaine des jardins

Avec son odeur unique suave et fleurie, aux notes de thym et d'agrumes, la marjolaine est une herbe culinaire très appréciable aux innombrables usages.

CULTURE

Plantez-la dans un sol bien drainé au printemps, une fois le risque de gelées passé. Pour lui permettre une croissance régulière, taillez la plante quand elle commence à faire des bourgeons de fleur.

HARMONIES GUSTATIVES

S'accorde avec le poulet, l'agneau, le canard, le veau, le poisson, les fruits de mer, les pois chiches, les carottes, la courge butternut, le chou, les épinards, les courgettes, les poivrons, les aubergines, les tomates, les œufs, l'ail, le citron, l'orange.

À ESSAYER

Toutes les suggestions concernant l'origan (voir page 144) s'appliquent aussi bien à la marjolaine.

PROPRIÉTÉS

La tisane de marjolaine est réputée soulager le rhume et calmer les maux d'estomac, y compris quand ils sont dus au mal de mer.

PARFOIS APPELÉE « ORIGAN DES JARDINS », la marjolaine des jardins peut atteindre des hauteurs variant de 30 cm à un mètre, ses petites fleurs blanches formant des petites coquilles caractéristiques, d'où son autre nom, « marjolaine à coquilles ». Plante vivace membre de la famille des Lamiacées (comme la menthe ou l'ortie blanche), elle est une proche cousine de l'origan, même si elle ajoute une touche sucrée et délicatement relevée aux herbes de Provence, qui contiennent de l'origan. La confusion très répandue entre les deux est expliquée page 144. La marjolaine était bien connue à l'époque classique pour ses usages médicinaux comme culinaires : les Grecs de l'Antiquité l'utilisaient comme antidote au poison et pour soulager les spasmes musculaires.

L'arôme de la marjolaine des jardins se perd lorsqu'elle est soumise à une trop forte chaleur, mieux vaut donc l'ajouter en fin de cuisson. Son affinité avec les viandes en fait une herbe très appréciée dans les farces, où, étant à l'intérieur de la viande, elle est protégée de la chaleur du four. C'est l'une des meilleures herbes à utiliser dans les sauces tomate, mais elle fait aussi merveille dans les légumes farcis, comme les poivrons, les aubergines, les champignons et les courgettes.

Origan

*Avec son goût chaleureux et légèrement âpre où pointe une
note camphrée, l'origan est une herbe qui exhale sa saveur
à la cuisson à la vapeur plutôt qu'à la poêle.*

CULTURE

Étant une herbe méditerranéenne, l'origan apprécie les sols bien drainés et beaucoup de soleil. Faites-le pousser à partir de graines ou de boutures, tout d'abord en intérieur, puis transplantez-le en extérieur quand le temps se réchauffe (au-dessus de 7 °C).

HARMONIES GUSTATIVES

S'accorde avec le poulet, l'agneau, le canard, le veau, le poisson, les fruits de mer, les pois chiches, les carottes, la courge butternut, le chou, les épinards, les courgettes, les poivrons, les aubergines, les tomates, les œufs, l'ail, le citron, l'orange.

À ESSAYER

Ajoutez de l'origan à une sauce tomate pour la pizza afin de lui apporter une authentique saveur italienne. Intégrez-le à vos farces pour les légumes tels que courgettes, aubergines et poivrons. Ajoutez-le à une marinade pour les kebabs ou le poisson. Préparez un sorbet original en faisant macérer de l'origan pendant une nuit dans du sirop de sucre (s'accorde également bien avec le sorbet de tomate).

PROPRIÉTÉS

Anti-inflammatoire et antalgique naturel, l'origan est utilisé pour soigner les troubles des voies respiratoires et gastro-intestinaux, ainsi que l'acné et les pellicules.

LES MOTS UTILISÉS pour décrire certaines plantes font parfois l'objet d'un vaste débat. L'origan en fait partie, les botanistes se querellant pour déterminer si son nom se réfère à un groupe de plantes ou à son goût – sans parler de son lien complexe à la marjolaine. On peut résumer l'affaire en disant que toutes les marjolaines sont des origans, mais que tous les origans ne sont pas des marjolaines. La marjolaine avait autrefois son propre genre, mais aujourd'hui, la marjolaine des jardins (voir page 143) est l'une des cinquante et quelques variétés d'origan. Pour ajouter à la confusion, en Amérique du Nord, le nom « marjolaine » est généralement remplacé par celui d'« origan ». Mais nous pouvons nous consoler – un peu – de cette confusion à l'idée qu'ils font tous partie de la famille des Lamiacées (comme la menthe et l'ortie blanche), dont les espèces sont facilement reconnaissables à leurs tiges carrées et à leurs feuilles opposées par paires.

Origanum vulgare a de très jolies fleurs mauves et de minuscules feuilles vert olive à la pointe allongée. Il en existe de nombreuses variétés, du très décoratif origan « Kent Beauty » (*Origanum rotundifolium*) à l'aromatique version grecque classique. Son nom signifiant « joie de la montagne », l'origan est si incontournable dans la culture grecque qu'il est même tressé dans les couronnes portées par les jeunes mariées. C'est un ingrédient majeur de la marinade servant à préparer le *souvláki* et bien d'autres plats d'agneau, mais est également cuisiné avec les légumes et dans les sauces pour les pâtes.

Avec sa forte teneur en thymol, l'origan a toujours été considéré comme un désinfectant et un conservateur. Il était incorporé aux petits bouquets de senteur au XVIᵉ siècle dans l'espoir d'éloigner la peste. Au XVIIᵉ siècle, les médecins herboristes le prescrivaient comme tonique pour le bien-être général. Quelques gouttes d'huile essentielle d'origan sur l'oreiller peuvent favoriser le sommeil.

Ginseng

*Les racines les plus prisées du ginseng sont celles qui ont
la forme d'une personne : le mot chinois pour le désigner
signifie « ressemblant à l'homme ».*

CULTURE

L'idéal est de recréer l'environnement naturel du ginseng, et il faudra environ huit ans au ginseng pour arriver à maturité : le climat devra être frais et tempéré, avec un bon taux de précipitations annuel.

PROPRIÉTÉS

Le ginseng en capsules ou en tisane peut vous aider à en puiser les vertus énergisantes.

MEMBRE DE LA FAMILLE des Araliacées (comme le lierre), le ginseng est une plante vivace de petite taille à la croissance lente, avec des racines charnues qui ne sont pas consommables avant au moins cinq ans d'âge. Prétendument excellent pour renforcer le système immunitaire et stimuler la vie sexuelle, le ginseng a été utilisé par les Chinois comme une panacée pendant 2 000 ans et son nom latin, *panax* («qui guérit tout»), en est le signe. Il a été recommandé pour la première fois en 100 après J.-C. dans le *Shennong Ben Cao Jing* («Herbier classique de Shennong»), livre écrit par le légendaire dirigeant chinois Shennong, empereur des Cinq Graines, qui aurait, d'après la légende, goûté et testé soixante-dix herbes par jour.

Le ginseng est le remède le plus prisé des personnes âgées chinoises, qui le considèrent comme une «merveille du monde», et, aux États-Unis, six millions de personnes prennent du ginseng régulièrement. Il a été prouvé que ses composants actifs renforcent le système immunitaire en stimulant la production d'immunoglobine, des protéines qui se lient aux substances exogènes comme les bactéries lorsqu'elles pénètrent dans le corps. Il pourrait être bénéfique pour tout, de la grippe au diabète en passant par la maladie d'Alzheimer, mais aussi l'impuissance et la fatigue chronique. Les chercheurs sont cependant partagés à son propos et, comme chaque fois que l'on souhaite prendre un traitement aux plantes, il est préférable de demander auparavant un avis médical.

Ce qui ne fait cependant aucun doute, c'est le statut de phénomène mondial du ginseng. On le trouve un peu partout, que ce soit dans les compléments alimentaires, les boissons énergétiques ou les lotions fortifiantes pour les cheveux. On peut même commander un *caffè al ginseng* dans de nombreux cafés de Rome. C'est un stimulant, ce qui fait, bien sûr, qu'il peut avoir pour effet secondaire d'entraîner des insomnies. Un des épisodes les plus étranges liés au ginseng a eu lieu en 2010, quand la Corée du Nord a proposé de rembourser une de ses dettes à la République tchèque en ginseng plutôt qu'en argent.

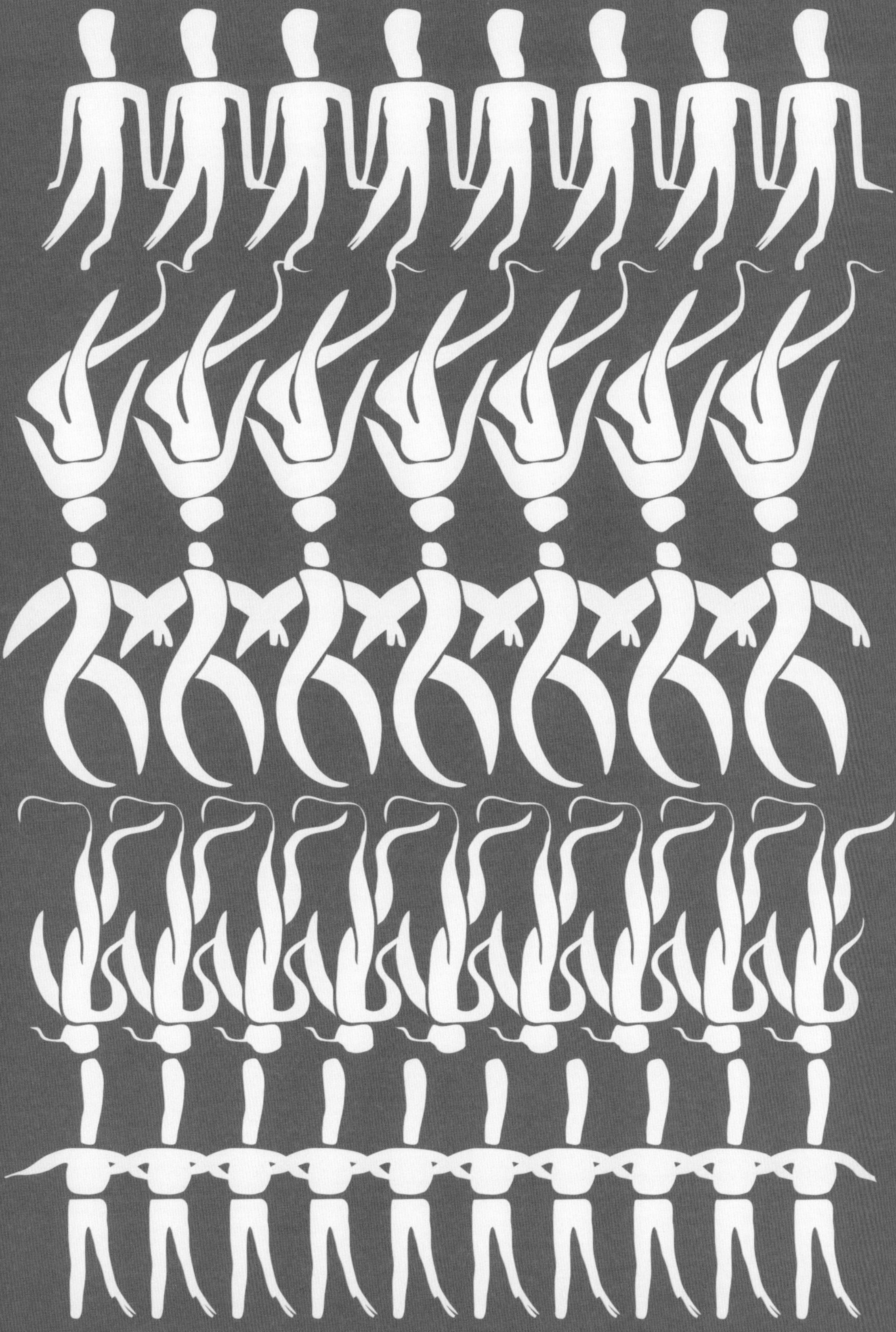

Pandanus amaryllifolius

Pandan

Ingrédient clé des cuisines malaisienne et indonésienne, les feuilles de pandan, issues de l'arbre appelé « baquois », ajoutent un arôme caractéristique au petit goût de noisette dans les riz et currys.

CULTURE

Faites pousser les arbustes de pandan au soleil. Ils préfèrent les sols qui retiennent l'humidité, mais sans être trempés.

HARMONIES GUSTATIVES

S'accorde avec le poulet, le poisson, la noix de coco, le riz, les nouilles, la crème, la coriandre, la citronnelle, le gingembre, la mangue, la banane.

À ESSAYER

Utilisez des morceaux de feuille de pandan pour parfumer du riz cuit, de la *panna cotta* ou une crème aux œufs – c'est particulièrement délicieux dans la crème au lait de coco.

PROPRIÉTÉS

Une décoction d'écorce de pandan peut être prise en tisane contre la fièvre et la toux, ou ajoutée à l'eau du bain pour apaiser les problèmes de peau.

LE PANDAN, TRÈS RÉPANDU dans toute l'Asie du Sud-Est, a de longues feuilles brillantes et presque aussi pointues qu'une épée, et pousse sous la forme soit d'un arbuste d'un mètre de hauteur, soit d'un arbre pouvant atteindre 20 mètres. Les arbres poussent facilement dans les régions humides et leurs feuilles peuvent être récoltées en toute saison ; les arbustes peuvent se cultiver dans les jardins si le climat, bien sûr, s'y prête.

Le pandan aurait des vertus médicinales, et une décoction de son écorce bue comme une tisane ou ajoutée à l'eau du bain peut soigner les problèmes de peau. Ses feuilles sont également utilisées en artisanat : les artisans les ramassent dans la nature et les découpent en fines bandes, prêtes à être traitées par des tisserands, qui s'en servent pour faire des nattes à poser au sol ou des cordages, qui sont ensuite colorés et séchés, puis utilisés pour fabriquer des sets de table ou des boîtes à bijoux.

En cuisine, ses feuilles fibreuses sont utilisées pour parfumer les plats, plutôt que pour être mangées, et elles sont généralement déchirées en lambeaux, froissées, nouées et placées dans la casserole afin de donner au plat qui y est préparé ses notes légèrement musquées d'herbe fraîchement coupée. Elles peuvent également parfumer les gâteaux et les desserts crémeux, ou envelopper le poulet, le poisson, le riz gluant ou la banane en petits paquets, que l'on met ensuite à cuire. Pour faire du sucre aromatisé au pandan, découpez ses feuilles en lamelles de 2 cm de large et mettez-en quelques morceaux dans un pot de sucre en poudre.

Coquelicot

« Il n'est aucune beauté qui n'ait sa tache noire. Même
le coquelicot au cœur porte la sienne, que chacun peut voir. »

PROVERBE MAROCAIN

CULTURE

Semez vos graines sur un carré de terre nue, puis attendez la pluie. Les coquelicots peuvent également être germés en pot, puis être transplantés en extérieur. Ils adorent avoir beaucoup de soleil.

HARMONIES GUSTATIVES

S'accorde avec l'orange, le citron, la vanille, la cannelle, le miel, le chocolat, les fruits secs, les noix, les nouilles, le riz, les carottes, les pommes de terre, le chou, les courgettes, le poulet.

À ESSAYER

Faites griller une ou deux cuillerées à café de graines de coquelicot dans un poêle sans matière grasse pendant deux à trois minutes, jusqu'à ce qu'elles sentent le grillé, puis versez-les dans des pâtes fraîches comme des tagliatelles ou des fettuccine, avec un zeste de citron, beaucoup de beurre, du sel et du poivre. Pour une version sucrée, remplacez le sel et le poivre par du sucre glace et de l'essence de vanille.

PROPRIÉTÉS

Une teinture ou infusion de coquelicots rouges apaiserait l'anxiété et le stress et aurait de légers effets sédatifs.

À UNE ÉPOQUE, une croyance voulait que si des coquelicots poussaient dans un champ, la récolte en serait généreuse – le coquelicot (également appelé «pavot rouge») a toujours été associé à Déméter, déesse de la Fécondité. Une seule plante peut produire le chiffre impressionnant de 60 000 graines, d'où sa capacité à se propager comme un feu de forêt. Les coquelicots, très tenaces, peuvent rester en dormance pendant pas moins de cinquante ans, pour n'éclore que lorsque le sol est remué par une charrue – ou, bien sûr, par la guerre. Les coquelicots se sont mis à proliférer sur les champs de bataille après la Première Guerre mondiale, une multitude de taches rouge vif venant éclore sur les sillons du désespoir, et ils sont devenus un symbole de l'armistice et de la mémoire des morts, inspirant au lieutenant-colonel John McCrae le célèbre couplet : «Au champ d'honneur les coquelicots / Sont parsemés de lot en lot / Auprès des croix [...] ».

Plante annuelle pouvant atteindre 60 cm de hauteur, le coquelicot a des fleurs écarlates très voyantes perchées en haut d'une longue tige velue. Ses graines gris ardoise au petit goût de noisette peuvent être utilisées pour parfumer les plats sucrés et salés, ou pressées pour en faire une huile. En Allemagne et en Europe de l'Est, elles décorent agréablement les pains et gâteaux, et sont également moulues et mixées avec du sucre, du beurre et différents ingrédients pour faire une pâte servant de garniture aux gâteaux comme le *Mohnstollen* ou le *Mohntorte* en Allemagne, ou le *Makowiec* en Pologne. Les juifs ashkénazes célèbrent traditionnellement Pourim avec des «oreilles d'Aman», des petites pâtisseries triangulaires aux graines de coquelicots. En Inde, les graines de coquelicots ivoire sont moulues et utilisées pour épaissir les sauces et les currys, ou grillées et ajoutées aux mélanges d'épices. Les jeunes feuilles de coquelicots peuvent être mangées crues, avant que les boutons floraux soient formés, dans les soupes et les salades.

Géranium odorant

Grands imitateurs olfactifs du royaume des herbes et adorés
des Anglais de l'époque victorienne, les géraniums
se déclinent en très nombreuses espèces, dont le parfum évoque
des odeurs aussi diverses que la pêche ou la menthe-chocolat.

CULTURE

Les géraniums odorants se reproduisent beaucoup plus facilement par boutures que par semence. Après l'arrosage initial, maintenez les boutures aussi sèches que possible afin d'éviter la maladie de la jambe noire.

À ESSAYER

Préparez des gâteaux subtilement parfumés en tapissant le fond de votre moule de feuilles de géranium, que vous retirerez une fois le gâteau refroidi.

PROPRIÉTÉS

Une tasse de tisane de géranium au parfum de rose renforce le système endocrinien et réduit le stress. On pense également que le géranium a des propriétés anti-inflammatoires, bénéfiques en cas de douleurs articulaires et musculaires.

ET CE SONT SES FEUILLES ODORANTES, assez curieusement, et non ses belles fleurs, qui réalisent toutes ces prouesses gustatives et olfactives. Il existe des centaines de géraniums odorants, qui exhalent aussi bien un parfum de pomme, de clou de girofle, de rose que de menthe. *Pelargonium capitatum*, également appelé *Pelargonium* « Attar de roses », est commercialement utilisé pour son huile essentielle. Vous pouvez faire du sucre de géranium en mettant plusieurs feuilles dans un bocal de sucre en poudre pendant quelques semaines : il donnera un parfum de rose à vos desserts et gâteaux. Vous pouvez également opter pour l'orange, avec *Pelargonium citrosum*, au parfum d'agrumes très prononcé. Ou alors, faites-vous une tisane au goût mentholé avec *Pelargonium tomentosum*, également appelé *Pelargonium* « menthe-chocolat », dont les feuilles sont tachetées de brun sombre en leur centre. Si c'est cette variété que vous cultivez, veillez à lui apporter suffisamment de lumière directe, sans quoi elle restera verte. Parmi les très nombreuses autres variétés, certaines méritent particulièrement votre attention, comme *Pelargonium* « cannelle épices », qui vous permettra de donner un parfum chaleureusement épicé aux gâteaux et biscuits, et *Pelagonium graveolens* (« géranium rosat »), à l'étonnant parfum de loukoum.

Les géraniums odorants ont été découverts au cap de Bonne-Espérance dans les années 1620 par John Tradescant, le botaniste du roi anglais Charles Ier. Les Anglais en raffolant à l'ère victorienne, ils les ont cultivés sous des serres chauffées jusqu'en 1914, quand cette pratique a été arrêtée afin de conserver cette énergie pour l'effort de guerre.

Pérille de Nankin

Également appelée par son nom japonais shiso, *la pérille,*
dont les graines sont riches en acides gras oméga-3,
est une herbe chinoise apparentée au basilic et à la menthe.

CULTURE

La pérille pousse dans l'ombre partielle. Faites-la pousser comme n'importe quelle plante annuelle en la faisant germer en intérieur au printemps ou en la semant en extérieur l'été.

HARMONIES GUSTATIVES

S'accorde avec le bœuf, le poulet, le poisson, les pommes de terre, le riz, les nouilles, les tomates, les courgettes.

À ESSAYER

Remplacez le basilic par de la pérille pour faire un pesto inspiré de la cuisine asiatique. Ajoutez de la pérille hachée à vos plats de nouilles et de riz, ou garnissez-en vos plats de poisson à l'étuvée. Utilisez les feuilles entières pour envelopper la viande ou le poisson avant de les mettre à cuire.

PROPRIÉTÉS

En médecine chinoise moderne, les décoctions ou infusions de pérille s'utilisent contre le rhume, la congestion nasale, la toux et le mal de tête, ainsi que pour disperser l'énergie stagnante et apaiser l'esprit.

ELLE A UNE ODEUR SUCRÉE aux surprenantes notes de cumin, d'anis et de cannelle, ainsi que des notes de fond fraîches et mentholées. Les feuilles en forme de pique de la pérille verte se reconnaissent au premier coup d'œil. Elles sont très agréables à regarder, avec des bords dentelés très pointus rappelant l'ortie. La pérille verte est souvent utilisée en cuisine japonaise, essentiellement dans les sushis et les sashimis, mais aussi dans les soupes et les salades.

Riche en vitamines A, C et K et en calcium, la pérille existe aussi dans une variété rouge, dont les feuilles vont du rouge profond au rouge bordeaux. Elles sont plus finement ciselées que celles de la pérille verte et sont du plus bel effet dans les salades, apportant un contraste de couleurs intéressant. Plus subtiles en arôme et en goût que les vertes, les magnifiques feuilles rouges sont souvent utilisées comme garniture avec les sashimis et peuvent servir à concocter une boisson aigre-douce faite avec du sucre, du vinaigre et du jus de citron.

Persicaria odorata

Coriandre vietnamienne

Herbe très populaire dans la cuisine d'Asie du Sud-Est, la coriandre vietnamienne (ou rau răm*) est également appelée « menthe vietnamienne », ou encore « feuille de laksa », conformément à son nom malais,* daun kesom.

CULTURE

Vous pouvez faire pousser la coriandre vietnamienne en pot en utilisant un mélange à base de terreau, mais veillez à ne pas l'exposer au soleil de midi. Arrosez-la régulièrement du printemps à l'automne, et protégez-la du gel.

HARMONIES GUSTATIVES

S'accorde avec les fruits de mer, le poisson, le poulet, le porc, les nouilles, les cacahuètes, la laitue, les carottes, la coriandre, l'ail, la papaye verte, le gingembre.

À ESSAYER

Utilisez des feuilles entières de coriandre vietnamienne dans les rouleaux de printemps, avec des pousses de soja, des carottes râpées, des crevettes cuites, des nouilles de riz, de la citronnelle et de la menthe, le tout roulé dans des feuilles de riz et servi avec la sauce dédiée.

PROPRIÉTÉS

L'infusion de feuilles de *rau răm* est utilisée depuis bien longtemps pour ses propriétés apaisantes. Cette herbe est réputée soulager les difficultés de digestion, les flatulences et les ardeurs sexuelles inappropriées ou excessives. La chef australienne Christine Manfield recommande la *laksa* – soupe de nouilles épicée – comme « thérapie par le régal intensif ».

LE TERRITOIRE NATUREL de la coriandre vietnamienne, qui ressemble beaucoup à celui de la menthe, s'étend sur toute la zone tropicale et subtropicale d'Asie du Sud et de l'Est, où elle est utilisée à la fois en cuisine et en médecine. Elle sert couramment de remède contre l'indigestion, les flatulences et les maux d'estomac, et même le désir sexuel. Un dicton vietnamien dit : *Rau răm, giá sông*, qui signifie « *Rau răm*, germes de soja crus ». Il fait allusion au fait que le premier est réputé éteindre les ardeurs sexuelles, tandis que le second a l'effet opposé. Il n'y a pas d'études scientifiques pour attester cette idée, mais les moines bouddhistes cultiveraient le *rau răm* dans leurs potagers pour les aider à mieux vivre leur célibat.

Ses feuilles ont d'abord un goût doux, avec une pointe de citron vert et d'épices, mais se font ensuite plus poivrées et piquantes. Elles sont très appréciables en lambeaux dans les poêlées et les soupes *pho* (soupes aux nouilles), et servent de substitut à la coriandre dans la plupart des plats. Le *rau răm* est particulièrement associé à la cuisine vietnamienne : salades, soupes, ragoûts et rouleaux de printemps. Le *rau răm* est également un ingrédient de base dans la *laksa*, spécialité de Malaisie et de Singapour, d'où son nom alternatif de « feuille de *laksa* ».

Persil plat

Isabella Mary Beeton, dite Mrs Beeton, auteur du célèbre
Book of Household Management *(1861) réimprimé*
à de très nombreuses reprises, décrète « cette magnifique
herbe emblème de la joie et de la festivité ».

CULTURE

Étant donné ses origines méditerranéennes, le persil pousse mieux – généralement après avoir été semé – dans un sol humide et bien drainé, en plein soleil.

HARMONIES GUSTATIVES

Le persil s'accorde avec à peu près tout ingrédient salé imaginable.

À ESSAYER

Faites une *salsa verde* : émincez très finement deux gousses d'ail, deux cuillerées à soupe de câpres, six anchois, deux grosses poignées de persil plat et quelques feuilles de basilic et de menthe. Mélangez avec une cuillerée à soupe de moutarde de Dijon et trois cuillerées à soupe de vinaigre de vin rouge, à diluer doucement dans suffisamment d'huile d'olive vierge extra pour que la sauce soit épaisse. Assaisonnez, puis goûtez et accommodez selon votre goût. (Vous pouvez également utiliser un robot ménager, mais prenez garde à ce que la préparation ne se transforme pas en pâte.)

PROPRIÉTÉS

Ajoutez une poignée de persil mixé à n'importe quel jus de fruit. La tisane de persil, qui se prépare en faisant infuser du persil dans de l'eau bouillante pendant vingt minutes, est une bonne source de fer et peut aider à purifier le teint.

LE PERSIL FRISÉ (*Petroselinum crispum*), légèrement plus amer et aux feuilles beaucoup plus texturées, a des mérites bien à lui, mais c'est bien de la variété à feuilles plates qu'il s'agit ici.

Le persil plat est la plus polyvalente, probablement la plus utile et sans doute l'une des plus gracieuses herbes de la cuisine, avec sa merveilleuse légèreté au toucher et son goût frais et propre de verdure, qui évoque les gazons tondus au printemps. Il est riche en vitamines, dont les vitamines A, B12, C et K, ainsi qu'en divers composants flavonoïdes aux effets antioxydants.

Originaire de Méditerranée centrale, le persil a évidemment une place dans l'histoire et la mythologie. Les Grecs de l'Antiquité l'avaient en si haute estime qu'ils en couronnaient les vainqueurs des Jeux isthmiques. On dit que lorsque l'on a une rancune contre quelqu'un, il suffit de cueillir du persil et de prononcer son nom, et il sera mort dans les jours qui suivent.

Le rôle du persil en cuisine est bien connu, même s'il est trop souvent relégué au statut de garniture au lieu d'être utilisé comme goût à part entière. Parmi les plats dans lesquels on lui donne l'importance qu'il mérite, on peut citer la *salsa verde*, le taboulé vert, la *gremolata* et le *chimichurri*, ainsi que le traditionnel jambon persillé, terrine de dés de jambon enrobés dans une gelée généreusement fournie en persil. En cuisine britannique, la sauce au persil, préparée en ajoutant du persil haché à une béchamel, est un accompagnement classique du poisson ou du jambon.

Pourpier

*Également appelé « porcelane » ou « porchaille »,
le pourpier est une version plus charnue de la mâche,
avec un goût frais aux notes citronnées.*

CULTURE

Semez-en juste les graines en les éparpillant sur la terre. Il est inutile de les recouvrir, car elles ont besoin de lumière pour germer.

HARMONIES GUSTATIVES

S'accorde avec la betterave, le concombre, les tomates, les poivrons, les oignons rouges, les épinards, les haricots secs, la feta, le fromage de chèvre, le yaourt, le piment, les olives, les noix.

À ESSAYER

Combinez de jeunes brins de pourpier avec des dés de pastèque, des morceaux de feta et une vinaigrette légère pour faire une salade rafraîchissante les jours de grosse chaleur.

PROPRIÉTÉS

Le pourpier est à consommer sans modération : ajoutez-le haché aux jus et aux salades mélangées pour puiser dans les bienfaits de sa très forte teneur en acides gras oméga-3, qui peuvent favoriser un meilleur équilibre du cholestérol dans le sang.

LES COMPARAISONS ABONDENT : le pourpier ressemble aussi au cresson – bien que plus doux et plus croquant – et peut se substituer aux épinards.

Un des atouts du pourpier est sa forte teneur en acides gras oméga-3, qui le rend comparable de ce point de vue au poisson, aux algues et aux graines de lin. Il est aussi très riche en vitamines A, B et C, en magnésium et en calcium, ce qui peut renforcer le système immunitaire, réduire les migraines et favoriser la bonne santé cardiaque. Il a même été recommandé comme savoureux complément aux salades par l'écrivain et paysagiste anglais John Evelyn dans son *Discourse of Sallets* (1699), sans doute le premier livre de diététique jamais écrit. À l'époque de John Evelyn, le pourpier était supposé être bénéfique à qui souffrait d'arthrite, d'une maladie cardiaque ou d'un mal de dents.

Le pourpier est une feuille appréciée partout dans le monde, s'étant répandu en Europe, en Afrique du Nord, au Moyen-Orient, dans le sous-continent indien et en Australasie. En Grèce – où il est appelé *glistrida* (« glissant ») au motif qu'il transformerait celui qui le mange en moulin à paroles –, il est souvent marié à de l'oignon, de l'ail et du yaourt crémeux, ou utilisé dans la classique salade grecque avec de la feta et du concombre. C'est un ingrédient majeur du *fattouche*, salade traditionnelle libanaise, tandis qu'en Turquie, il se prépare comme un légume ou dans les pâtisseries au four ; enfin, au Pakistan, il s'intègre aux plats de lentilles.

Primevère officinale

« Je suce la fleur que suce l'abeille / J'habite le calice d'une primevère. »

WILLIAM SHAKESPEARE, *La Tempête*

CULTURE

Les primevères poussent de préférence au soleil, dans un sol neutre à alcalin. Elles peuvent également être cultivées en pot et sont ravissantes sur les rebords de fenêtre.

À ESSAYER

Ajoutez de jeunes feuilles et fleurs de primevère à vos salades. Agrémentez vos farces pour viande de feuilles de primevères. Faites une tisane de primevères en laissant infuser deux cuillerées à café de pétales de primevères dans de l'eau bouillie pendant dix à quinze minutes.

PROPRIÉTÉS

La tisane sédative de fleurs ou de feuilles de primevère peut aider à éviter l'insomnie. Un sirop de primevère – fait avec des fleurs broyées, du miel et de l'eau – peut également soulager la toux et l'asthme. Les herboristes utilisent la primevère dans les nettoyants pour la peau pour traiter l'acné et les boutons. Notez cependant que la primevère peut causer des dermites de contact.

SON NOM LATIN signifie « la première petite du printemps », car c'est en effet la saison à laquelle elle fleurit. Elle se fait également appeler « coqueluchon », « brérelle » ou « primerolle » selon les régions. Curieusement, cette plante très appréciée porte en anglais un nom évoquant la bouse de vache : cowslip, peut-être parce qu'en poussant, ses feuilles grasses forment des tapis qui peuvent être pris de loin pour des bouses, ou simplement parce qu'elle pousse souvent dans les pâturages des vaches. Elle a également été comparée à un trousseau de clés : on dit que saint Pierre aurait fait tomber le sien et que des primevères auraient poussé à l'endroit où elles auraient atterri. Ce qui explique sans doute un autre surnom courant de la primevère : « la clé du paradis ».

En la ramassant, gardez à l'esprit que, dans de nombreux pays, il est interdit de déraciner des primevères (ou toute autre fleur sauvage) : contentez-vous alors d'en cueillir les feuilles et les fleurs. Vous avez peut-être intérêt à en faire pousser vous-même, car la primevère tend à se faire rare depuis quelques décennies à cause des pratiques agricoles, des herbicides et des engrais chimiques.

Les primevères ont été utilisées pour soigner toutes sortes de maux. L'herboriste du XVIᵉ siècle John Gerard a dit : « Une conserve faite avec ses fleurs... prémunit merveilleusement bien de la paralysie. » Pendant des années, les feuilles de primevères ont été utilisées en tisane sédative contre l'insomnie, et ses racines pour soigner la coqueluche.

Cette plante est traditionnellement comestible aussi bien fraîche que séchée, qu'il s'agisse de ses fleurs, de ses racines ou de ses feuilles. Les fleurs et feuilles, qui ont un goût délicat et sucré, sont riches en bêtacarotène et en vitamine C et peuvent faire baisser le niveau de cholestérol. Le vin de primevères est fait avec ses pétales jaunes mélangés à du sucre, du citron, de l'eau de source et du ferment frais.

Primula vulgaris

Primevère commune

*« Une primevère au bord d'une rivière / Était pour lui
une primevère jaune / Et elle n'était rien de plus. »*

WILLIAM WORDSWORTH, *Peter Bell*, 1798

CULTURE

Semez-en les graines en juillet ou en août et transplantez les jeunes pousses à l'automne, une fois bien grandies.

À ESSAYER

Parsemez vos salades de pétales de primevères, ou utilisez-les pour décorer vos gâteaux et desserts.

PROPRIÉTÉS

Une tisane de primevères peut avoir un effet légèrement sédatif ; une décoction de ses racines peut atténuer les problèmes bronchiques et la toux.

LA PRIMEVÈRE COMMUNE prospère dans les zones ombragées et humides, et c'est une plante vivace qui annonce le début du printemps. Très répandue en Europe et en Amérique du Nord, elle pousse dans les bois espacés, près des haies et en lisière de forêt. Les abeilles l'adorent. Dans de très nombreux pays, il est illégal de déterrer ou de cueillir ces fleurs qui ont été en voie de disparition, cela vaut donc la peine de les faire pousser soi-même.

La primevère commune a des racines fibreuses et des feuilles en rosette aux bords ondulés. La tige porte cinq à douze fleurs en forme d'entonnoir en avril et mai, suivies d'une grappe de gousses remplies de nombreuses graines. Il y a deux sortes de fleurs : longistylées et brévistylées. Au centre de la fleur longistylée se trouve le bouton vert du stigmate, comme une tête d'épingle, tandis que la fleur brévistylée a son stigmate plus enfoncé dans son tube. C'est Charles Darwin qui a remarqué une chose intéressante à ce propos : lorsqu'un insecte à trompe longue butine une fleur brévistylée après une fleur longistylée (ou vice versa), le pollen qui se trouve sur sa trompe va se déposer sur le stigmate, ce qui entraîne une pollinisation croisée. Le reste n'est qu'évolution, comme on dit.

Les primevères communes étaient très appréciées des herboristes des anciens temps. Pline l'Ancien en parlait comme d'un remède important contre les rhumatismes musculaires, la paralysie et la goutte. Nicholas Culpepper, quant à lui, a dit : «Des feuilles de la primevère, on fait le baume le plus fameux que je connaisse pour soigner les blessures.» Et John Gerard recommandait qu'une tisane de primevère soit «bue au mois de mai» pour «guérir la frénésie». L'herboriste du début du XXe siècle Mrs Grieve avait évoqué une vieille recette de potage aux primevères − fait avec les fleurs −, ainsi qu'un riz pilaf avec des amandes, du miel, du safran et des primevères moulues.

Cresson de fontaine

*Peu parfumé mais très relevé et très croquant, le cresson de fontaine
– autrefois mangé par les empereurs romains pour savoir prendre
des « décisions audacieuses » – est le « superaliment » par excellence.*

CULTURE

Le cresson de fontaine doit rester en permanence humide. Il peut pousser dans l'eau ou dans un sol trempé, si l'eau reste fraîche. Semez-le à la surface du sol : les graines n'ont pas besoin d'être recouvertes pour germer.

HARMONIES GUSTATIVES

S'accorde avec le poulet, le bœuf, le canard, le poisson, les carottes, le concombre, les oignons, le fenouil, les pommes de terre, les petits pois, les courgettes, le fromage, les oranges, les poires, les noix, les œufs, l'oseille.

À ESSAYER

Avec un extracteur de jus, préparez une boisson vert vif et bourrée de nutriments en y mélangeant une poignée de cresson de fontaine à deux pommes et deux tiges de céleri ou un concombre, et ajoutez un peu de jus de citron si vous le souhaitez.

PROPRIÉTÉS

Le cresson de fontaine réduit le risque de divers cancers et de maladies cardio-vasculaires, améliore la santé osseuse et de permet à l'organisme de conserver de bons niveaux de calcium : le mieux est de le consommer de toutes les façons possibles : à croquer, en jus, ajouté aux soupes en fin de cuisson, dans les sandwichs, en pesto…

Et ce n'est pas pour rien : le cresson de fontaine contient plus de calcium que le lait, plus de fer que les épinards et plus de vitamine C que les oranges. Cette feuille au tonus incomparable contient en effet au moins quinze vitamines et minéraux essentiels. Il n'est donc pas étonnant qu'Hippocrate, le père de la médecine, ait fondé son premier hôpital non loin d'un ruisseau. Cela signifie qu'il pouvait faire pousser du cresson de fontaine à foison.

L'idéal, pour profiter au mieux de tous ses avantages nutritionnels, est de le manger cru. Vivifiant et rafraîchissant, il contrebalance bien les aliments riches, comme le canard, le poisson fumé et les sauces crémeuses. Rien de tel pour s'alléger après les excès de Noël qu'une salade de cresson et d'orange. Son goût piquant s'atténue à la cuisson, il donne donc une soupe des plus agréables. La soupe de pommes de terre et de cresson de fontaine est un classique dans de nombreux pays – elle a même été appelée « potage de santé » – et, en Italie, le *minestrone* est parfois additionné de cresson de fontaine. En Chine, ses feuilles sont passées rapidement à l'eau bouillante, puis saisies dans de l'huile de sésame. Ne négligez pas les joies du sandwich au cresson, en utilisant les feuilles soit toutes seules, soit avec du poulet, de la dinde, du bœuf ou du fromage. Si vous en faites une salade, ajoutez-y les fleurs et feuilles de la cousine du cresson, la capucine (*tropaeolum*), au goût frais également.

Il n'est pas si étonnant, compte tenu des innombrables atouts de cette plante vivace robuste originaire d'Europe, qu'il se tienne chaque année dans la ville anglaise d'Alresford un Festival du cresson. Petit avertissement pour ceux qui souhaitent cueillir le cresson dans la nature : ne le faites pas en aval d'un pâturage de bétail ou de moutons, à cause du risque de contamination par le parasite appelé « douve du foie ».

Rose

« Une rose est une rose est une rose est une rose. »

GERTRUDE STEIN, *Sacred Emily*, 1913

CULTURE

Plantez vos roses au jardin ou en pot, en les arrosant bien en période de sécheresse pendant leurs deux premiers étés au minimum.

HARMONIES GUSTATIVES

S'accorde avec les fraises, les abricots, les pêches, les framboises, les pommes, le concombre, la vanille, le miel, le safran, les amandes, la cannelle, le citron, l'orange, l'agneau, la caille.

À ESSAYER

Ajoutez un peu d'eau de rose à une crème au beurre qui décorera vos gâteaux et cupcakes (avec parcimonie), puis parsemez-les de pétales de rose frais non traités. Faites un bellini à la rose : laissez infuser des pétales de rose dans du sirop de sucre – vous pouvez accentuer encore un peu le goût avec de l'eau de rose si nécessaire –, puis passez au chinois et ajoutez-en une cuillerée à café à un verre de champagne ou de prosecco.

PROPRIÉTÉS

L'huile essentielle de rose a des vertus réconfortantes pour le moral ; les cynorhodons peuvent faire baisser la tension artérielle ; l'eau de rose peut être utilisée dans les préparations de soin pour la peau ; et la tisane de rose est apaisante et anti-inflammatoire, traditionnellement utilisée en cas de règles douloureuses.

IL PEUT SEMBLER CURIEUX de considérer la rose comme une herbe, mais cette plante exceptionnelle aux fleurs sublimes est depuis des siècles aussi utile que belle. Bien sûr, il existe de très nombreuses sortes différentes de roses, avec environ 3 000 variétés cultivables. Les herboristes tendent à utiliser des roses classiques plutôt que des hybrides, et jamais celles qui ont été aspergées de produits chimiques. D'un point de vue médicinal, tous les bienfaits de cette plante sont dans ses pétales. Ils contiennent des composants qui peuvent améliorer le métabolisme, ainsi que des composants antioxydants et antibactériens apaisants pour la peau et pouvant soigner l'acné sous la forme d'eau de rose. Celle-ci peut également être ajoutée aux produits de soin de la peau classiques, ou utilisée dans le bain. La teinture de rose a été affectionnée pendant des siècles comme traitement contre la tristesse, la mélancolie, la dépression et l'insomnie.

Les cynorhodons (baies rouges du rosier, également appelées « églantines » ou « gratte-cul ») peuvent être cueillis dans la nature et sont étonnamment utiles en cuisine : en sirop, en coulis, en gelée, en vinaigre, ou même en sauce. Avec leur ébouriffante teneur en vitamine C de 2 000 mg pour 100 g, ils sont excellents pour la santé. Les pétales de rose sont un régal à cuisiner, que ce soit séchés ou sous la forme d'eau de rose. En Inde, en Afrique du Nord et au Moyen-Orient, l'eau de rose a sa place non seulement dans les plats sucrés comme le *kheer* ou le *kulfi* indiens et les boissons comme le *lassi*, mais aussi dans les spécialités salées comme le biryani et le ragoût d'agneau, où la rose est souvent associée à des épices douces telles que le safran, la cannelle et la cardamome. Au Maroc, l'eau de rose s'ajoute aux salades de carottes avec de la coriandre et du cumin. L'utilisation culinaire de la rose la plus célèbre, ce sont sans doute les loukoums, mais elle est aussi très présente dans les baklavas en Turquie. Des pétales de rose séchés sont ajoutés au mélange d'épices marocain *ras-al-hanout*, tandis que frais, ils servent à parfumer les desserts ou à faire une délicieuse gelée florale.

Romarin

L'épisode le plus poignant de la littérature où il est question d'une herbe se trouve peut-être dans Hamlet, de William Shakespeare : Ophélie, devenue folle de chagrin, mesure ainsi sa tristesse : « Il y a du romarin, c'est pour le souvenir. »

CULTURE

Le romarin est facile à faire pousser, en particulier à partir de boutures. Plantez-le au soleil et taillez-le régulièrement pour lui éviter de pousser tout en hauteur. Arrosez-le régulièrement.

HARMONIES GUSTATIVES

S'accorde avec l'agneau, le bœuf, le porc, le veau, le lapin, le poulet, les poivrons, les tomates, les aubergines, les courgettes, les oignons, les pommes de terre, le chou, le panais, la courge, les poissons gras, les lentilles, les anchois, les olives, le chocolat, les pommes, les poires, les prunes, les oranges.

À ESSAYER

Si vous avez un buisson de romarin âgé de plusieurs années dans votre jardin, recueillez les feuilles de quelques branches et utilisez les tiges comme piques à brochettes pour les fruits de mer ou le poulet, après en avoir aiguisé l'extrémité.

PROPRIÉTÉS

Buvez une infusion de romarin en cas de fatigue et de maux de tête ; une friction au romarin peut apaiser des articulations douloureuses ; respirer quelques gouttes d'huile essentielle de romarin sur un tissu peut stimuler le cerveau. Les chercheurs étudient actuellement les effets stimulants du romarin sur la mémoire.

ET LE ROMARIN, dont le nom latin, *ros marinus*, signifie « rosée de mer », a de tout temps été jeté dans les tombes en signe de souvenir, de même que les jeunes mariées ont longtemps porté des couronnes de romarin (vues comme des charmes d'amour). L'amour et la mort vont de pair dans la symbolique attachée à cette plante vivace à feuilles persistantes, comme le savait bien le poète du XVIIe siècle Robert Herrick : « Il pousse à deux fins : ce n'est d'aucune importance, qu'il soit pour mes noces ou pour mes funérailles. »

Cette herbe puissamment aromatique originaire de Méditerranée a de ravissantes fleurs bleues très prisées des papillons et un feuillage bleu-gris. Malgré son origine, cependant, il fleurit dans les climats plus frais et est un grand classique des jardins anglais. En termes culinaires, le romarin s'utilise de préférence avec discrétion, puisque cette herbe résineuse et légèrement amère, aux notes de camphre et de muscade, peut avoir un goût fort. Il s'accorde par nature aux viandes rôties, si bien qu'en Italie et en France, des bouchers ont pour habitude d'en donner de petits bouquets à leurs clients, pour accompagner ce qu'ils viennent d'acheter. Son association à l'agneau est peut-être la plus connue – de minuscules brins de romarin, des éclats d'ail et parfois d'anchois sont introduits dans la chair d'un gigot d'agneau avant de le mettre à rôtir –, mais il s'accorde bien à presque tous les plats salés plantureux et est particulièrement appréciable saupoudré en fin de cuisson sur des pommes de terre sautées ou des courges grillées. Il apporte également un petit plus étonnamment réussi aux desserts : pochez-en un brin ou deux avec des fruits d'automne, ajoutez-en à une tarte aux pommes ou utilisez-le pour parfumer une ganache ou une mousse au chocolat noir. Les fleurs de romarin peuvent être mises dans des glaçons pour apporter une petite touche esthétique à vos cocktails d'été.

Rumex acetosa

Oseille

En raison de son acidité caractéristique, elle accompagne merveilleusement bien les poissons à chair blanche ou les soupes aux haricots secs.

CULTURE

L'oseille apprécie les sols bien drainés et le plein soleil. Gardez à l'esprit que comme elle se ressème, elle peut devenir envahissante et difficile à éradiquer. Elle fait cependant une excellente plante en pot.

HARMONIES GUSTATIVES

S'accorde avec le poulet, le porc, le poisson, les œufs, les poireaux, les pommes de terre, le concombre, les lentilles, la laitue, les haricots secs, les tomates, le cresson de fontaine.

À ESSAYER

Préparez une sauce à l'oseille : roulez ensemble plusieurs feuilles d'oseille et découpez-les en fines lamelles, puis faites-les cuire doucement dans du beurre jusqu'à ce qu'elles s'attendrissent. Ajoutez de la crème épaisse pour couvrir, laissez mijoter, puis assaisonnez à votre goût. Servez avec un bon poisson : elle est particulièrement savoureuse avec le cake au saumon.

PROPRIÉTÉS

Consommez l'oseille en quantités limitées (sa teneur en acide oxalique appelle à la modération) pour améliorer la vue, renforcer le système immunitaire, faciliter la digestion et favoriser la solidité osseuse.

L'AUTEUR DE LIVRES DE CUISINE, présentateur de télévision et militant du « manger vrai » anglais Hugh Fearnley-Whittingstall admet que l'oseille est « une de [ses] feuilles préférées à manger et à cuisiner au printemps et en début d'été ». Membre de la famille des Polygonacées (comme la rhubarbe et le sarrasin), l'oseille ne se trouve pas facilement dans le commerce, en partie parce qu'elle flétrit rapidement ; cela vaut donc la peine de la faire pousser soi-même. Acidulée et citronnée au goût, avec une âcreté de fond due à la présence d'acide oxalique, l'oseille a une texture identique à celle des épinards.

La bonne nouvelle, c'est qu'elle est facile à faire pousser. L'oseille se ressème, on peut donc dire qu'elle se débrouille très bien toute seule (parfois même un peu trop bien). Si vous en coupez les épis floraux avant qu'ils éclosent, elle restera productive.

Mais vous pouvez aussi, bien sûr, la cueillir dans la nature. L'oseille pousse à l'état sauvage dans les pâturages humides et les zones fertiles. Elle a tendance à fleurir rapidement, après quoi ses feuilles rétrécissent et s'épaississent, on ne peut donc la récolter qu'au printemps. Il existe également une « petite oseille », aux feuilles beaucoup plus petites, mais délicieuses à mâcher allongé dans l'herbe en regardant passer les nuages. L'oseille serait excellente pour la vue : certaines études indiquent que sa forte teneur en vitamine A permettrait de diminuer le risque de cataracte.

L'astringence de l'oseille en fait un ingrédient de choix pour relever des aliments au goût neutre comme les œufs, la crème, le riz, les pommes de terre et le poisson. Prenez cependant garde au fait que la cuisson lui fait perdre sa couleur et lui donne un aspect visqueux vert-gris : délicieuse à manger, mais moins à regarder...

Sauge

*Dans le folklore anglais, une croyance dit que
la sauge pousserait mieux dans les foyers où la femme
est dominante.*

CULTURE

La sauge apprécie les sols tièdes et bien drainés, et le soleil. Ses feuilles peuvent être récoltées du printemps à l'automne. Taillez-la après la floraison.

HARMONIES GUSTATIVES

S'accorde avec le porc, le bacon, le poulet, la dinde, l'oie, le canard, les abats, les oignons, les pommes de terre, la courge, les haricots verts, les pommes, la polenta, le bleu.

À ESSAYER

Préparez des beignets de sauge et d'anchois à servir à l'apéritif : placez un filet d'anchois entre deux grandes feuilles de sauge, trempez dans de la farine, puis dans de l'œuf légèrement battu et enfin dans de la chapelure. Faites frire à la poêle jusqu'à ce qu'ils deviennent dorés et croustillants.

PROPRIÉTÉS

Une infusion de feuilles de sauge peut favoriser la digestion et soulager les symptômes de la ménopause. Utilisez cette infusion en bain de bouche en cas de mal de gorge et d'angine, ou en rinçage pour les cheveux contre les pellicules.

EN RÉALITÉ, ÉTANT ORIGINAIRE du Nord de la Méditerranée, elle pousse mieux dans les sols chauds et secs. Son nom vient du latin *salvus*, qui veut dire «en bonne santé». La sauge était autrefois utilisée pour se nettoyer les dents et soulager les gencives, tandis qu'en infusion, elle était réputée soigner l'arthrite. Aujourd'hui, c'est l'herbe à laquelle on a recours quand on souhaite donner à ses plats ce petit parfum musqué et balsamique qui la caractérise.

La sauge est toujours associée à la digestion, puisqu'elle accompagne très souvent les aliments riches, comme le porc, le canard et l'oie. En Angleterre, son utilisation se cantonne presque exclusivement à une farce aux oignons et aux pommes pour la volaille ou le porc, ou à l'assaisonnement des saucisses. Le fromage appelé *Sage Derby*, qui l'utilise pour sa couleur et pour son goût, est un temps tombé en désuétude, mais certains fromagers lui redonnent une seconde vie. Les Italiens saisissent brièvement la sauge dans du beurre fondu avant de la verser sur les raviolis ou les viandes farcies, ou l'associent au bleu pour faire une sauce pour les pâtes ou la polenta ; ils en garnissent également les *saltimbocca*, préparés en roulant ensemble une escalope de veau ou de porc, une tranche de jambon de Parme et une feuille de sauge. Ses feuilles peuvent également être frites en accompagnement croustillant particulièrement appréciable avec le foie.

Patience Gray, auteur anglaise de livres de cuisine et de voyage, décrit avec affection la recette de l'*aigo boulido*, «eau bouillie», un ancien remède à base de sauge. Ce remède provençal – auquel on recourait en cas d'épuisement, de gueule de bois ou de mal au foie – est préparé avec de l'eau légèrement salée, deux gousses d'ail pressées, deux brins de sauge et une cuillerée d'huile d'olive : «Bouillie pendant quinze minutes, cette infusion est filtrée, puis versée doucement dans une assiette creuse où l'on a déposé un jaune d'œuf.» Y mélanger l'œuf épaissit naturellement cette eau.

Sureau

*« Grandis, patience ! Et que la douleur, cet infect sureau, dégage
sa racine languissante de ta vigne en croissance ! »*

WILLIAM SHAKESPEARE, *Cymbeline*

CULTURE

Vous pouvez le faire pousser en semant des baies mûres dans un pot et en le laissant au soleil en extérieur. Si vous le cueillez dans la nature, faites-le un jour de chaleur sèche pour que sa saveur soit aussi sucrée que possible.

HARMONIES GUSTATIVES

Les fleurs de sureau s'accordent avec les groseilles, la rhubarbe, les pommes, les fraises, les framboises, le citron.
Les baies de sureau s'accordent avec les pommes, les poires, les prunes, le gibier, le porc.

À ESSAYER

Ajoutez quelques baies de sureau à une pâte à gâteau nature, puis décorez le gâteau fini avec un glaçage fait de sirop de fleurs de sureau et de jus de citron, et terminez en parsemant quelques fleurs juste avant que le glaçage se fige. Ajoutez une ou deux poignées de baies de sureau à un crumble, une tarte ou un gâteau renversé.

PROPRIÉTÉS

Utilisez l'infusion de fleurs de sureau en bain de bouche en cas d'aphte, de mal de gorge ou d'angine. Un sirop fait d'une décoction de baies de sureau mélangée à du miel peut soulager le rhume et la grippe. Ne pas en prendre sur une période prolongée ou en cas de grossesse.

OUTRE LE CHAGRIN, le sureau a de nombreuses associations religieuses, spirituelles et magiques : Judas fut pendu à une branche de sureau ; la croix sur laquelle le Christ fut crucifié était en bois de sureau ; tandis qu'au Danemark, la dryade Hylde-Moer, littéralement «mère du sureau», vit dans ces arbres, les surveille, et hante quiconque les abat. En Russie, une croyance ancienne voulait que les sureaux éloignent les mauvais esprits ; en Serbie, le sureau portait chance aux cérémonies de mariage ; et en Angleterre, on croyait que le sureau n'était jamais frappé par la foudre, tandis que porter une brindille de sureau nouée trois fois dans sa poche était un charme contre les rhumatismes.

Ses fleurs et baies doivent être mangées cuites, car elles sont légèrement toxiques lorsqu'elles sont crues. Ses délicates fleurs effilées sont le plus communément utilisées pour faire un sirop de sureau, mais elles sont également appréciables trempées dans une pâte légère, frites et servies saupoudrées de sucre. Il est de coutume d'ajouter un ou deux brins de sureau dans la casserole où cuisent des groseilles, résultat d'une de ces merveilleuses associations permises par le seul fait que deux ingrédients sont par chance de saison en même temps.

Les baies de sureau sont utilisées dans les sirops, les gelées, les confitures et les sauces, mais aussi pour faire du vin et du vinaigre. Dans les desserts, il est préférable d'adoucir leur goût très prononcé par la présence d'autres fruits, comme les pommes, les mûres, les poires ou les prunes. Une poignée de baies de sureau ajoutées dans le plat d'un faisan rôti donnera une couleur profonde et un goût automnal au jus de viande.

Utilisez le sureau avec prudence : les parties toxiques sont différentes selon chaque espèce. Vérifiez toujours avant de faire votre cueillette.

Pimprenelle

*Avec ses feuilles dentelées en fougère, la pimprenelle
– également appelée « petite sanguisorbe » –
est une élégante plante vivace vert vif.*

CULTURE

Faites-la germer à un emplacement bien ensoleillé. Pour encourager sa croissance, retirez les capitules roses et mauves et coupez les feuilles régulièrement ; la deuxième année, vous pouvez également diviser la plante.

HARMONIES GUSTATIVES

S'accorde avec le fromage à pâte molle, le poisson, les œufs, les fèves, le concombre, les tomates, les champignons.

À ESSAYER

Intégrez une poignée de feuilles de pimprenelle à une soupe de champignons. Ajoutez de la pimprenelle hachée à des fèves avec du beurre. Saupoudrez-en généreusement les poissons au four ou à la poêle. Mélangez-en à de la crème de fromage ou à du thon et de la mayonnaise pour faire une garniture de sandwich.

PROPRIÉTÉS

Les feuilles comme les racines de pimprenelle apaiseraient les problèmes de digestion, et les feuilles sont réputées avoir des propriétés anti-inflammatoires.

LA PIMPRENELLE ÉTAIT UTILISÉE par les herboristes du Moyen Âge pour arrêter les saignements internes et externes et pour soigner les blessures (le latin *sanguisorba* signifie « qui absorbe le sang »). L'herboriste flamand du XVIᵉ siècle Rembert Dodoens a dit de la pimprenelle : « Ses feuilles trempées dans le vin et ainsi bues réconfortent et réjouissent le cœur. » Aujourd'hui, nous parlons, hélas, en termes moins poétiques, mais le propos reste identique : les racines, feuilles et tiges de pimprenelle contiendraient des glycosides, qui peuvent faire baisser le cholestérol, améliorer la santé osseuse et stimuler le système immunitaire.

Avec son petit goût où se mêlent la noisette, le concombre et le melon, la pimprenelle apporte un petit plus de douceur bienvenu aux salades, en particulier celles d'automne. Les Italiens ont même un proverbe pour le dire : « Une salade n'est ni bonne ni jolie sans pimprenelle. » Elle est souvent utilisée en association avec d'autres herbes, par exemple dans les beurres, les soupes et les plats de poisson. Elle substitue également de façon assez intéressante l'estragon ou la ciboulette, et s'accorde bien avec eux dans les mélanges de fines herbes. Ses fleurs peuvent être utilisées pour garnir les salades ou décorer les gâteaux.

Au XVIᵉ siècle, on mettait des feuilles de pimprenelle à flotter dans les calices de vin pour le parfumer. Broyées et ajoutées à un gin tonic ou à un Pimm's, les feuilles et fleurs de pimprenelle apportent une petite touche de fraîcheur et de verdure. Ajoutez-les à une grande carafe d'eau glacée avec du citron pour obtenir une boisson rafraîchissante.

Santolina (espèces)

Santoline

*Plante aromatique naine à feuillage persistant aux fleurs en pompon jaunes
ou blanches, la santoline est originaire du Sud de la France et du Nord
de la Méditerranée. Elle est traditionnellement utilisée dans les parterres
décoratifs appelés « jardins en nœud ».*

CULTURE
Faites-la germer à partir de graines
ou de boutures dans un sol humide
mais bien drainé, au soleil. Taillez-la
après la floraison pour qu'elle reste
bien dense.

CES ANCIENS « JARDINS AUX CURIEUX DÉTOURS » (selon
la formule de Shakespeare dans *Peines d'amour perdues*) sont apparus
en Angleterre sous le règne d'Élisabeth Ire, sans doute inspirés par les
jardins à la française. De forme carrée, ces parterres de buissons taillés
en entrelacs étaient souvent conçus comme des énigmes à résoudre
ou des symboles de l'amour, et y figuraient habituellement des herbes
aromatiques et culinaires comme la marjolaine (page 143), le thym
(page 199), la mélisse (page 116), la camomille (page 59) et la santoline.
Elles forment une haie compacte de plantes à feuillages persistants,
les espaces entre chacune étant soit remplis de graviers de bronze
(pour faire un labyrinthe à la taille d'un enfant), soit plantés de belles
fleurs. L'utilisation de plantes à feuillage persistant permet des vues
captivantes de l'intérieur de la maison, même en hiver. Ils s'apprécient
par ailleurs mieux vus du dessus : les plans de ceux que John Speed
avait imaginés pour le palais de Sans-Pareil d'Henri VIII dans le Surrey
(mais aujourd'hui disparu) montrent que les jardins en nœud étaient
spécialement conçus pour être regardés des fenêtres des étages.

La santoline est une plante aromatique dense aux feuilles argentées et
à l'arôme rappelant celui de la camomille. Outre qu'elle était utilisée
dans les jardins en nœud, ses feuilles étaient aussi séchées et ajoutées
aux mélanges de tabacs et aux pots-pourris. Elle fait également un bon
antimite, déposée dans les tiroirs et sous les tapis, ou ajoutée aux sachets
d'herbes antimites contenant à proportions égales de la menthe, de la
lavande, de la sauge et du romarin séchés. Au Moyen Âge, cette herbe
était appliquée sur les blessures pour favoriser la cicatrisation. Selon
Nicholas Culpeper, elle était utilisée pour « résister au poison, à la
putréfaction, et soigner la morsure des bêtes venimeuses ». Aujourd'hui,
cependant, elle est rarement utilisée à des fins médicinales.

Sassafras

Également appelé « laurier des Iroquois », le sassafras peut atteindre jusqu'à 35 mètres, avec des branches sveltes, une écorce lisse brun orangé et des feuilles odorantes jaune-vert.

PROPRIÉTÉS

La tisane de sassafras peut faciliter la digestion et purifier le sang. Le sassafras frais contient du safrole, un carcinogène connu, alors veillez à vous procurer une tisane de sassafras sans safrole.

ARBRE ORNEMENTAL AROMATIQUE originaire d'Amérique du Nord, le sassafras se trouve le plus souvent dans les bois espacés, le long des clôtures ou dans les champs. Il pousse bien dans les sols humides, et sa propagation se fait principalement grâce aux oiseaux, qui avalent ses graines en en mangeant les appétissantes baies. Le sassafras est d'ailleurs très apprécié de nombreux animaux, qui adorent en grignoter l'écorce.

En Louisiane, ses feuilles sont utilisées pour leur goût épicé d'agrumes, et pour épaissir les sauces. Les feuilles de sassafras moulues, qui donnent une poudre appelée « filé », sont une saveur caractéristique de la cuisine créole et cajun. Le filé est l'ingrédient majeur du gombo, soupe épicée consistante faite avec des légumes, du riz et des fruits de mer ou de la viande. Il a un goût légèrement aigre, avec des notes boisées, d'oseille et de citron, et son parfum ressort à la cuisson. La *root beer* (appelée « racinette » au Canada) était traditionnellement faite avec les racines ou l'écorce du sassafras.

Les Indiens d'Amérique utilisaient les feuilles de sassafras pour soigner les blessures en les frottant directement dessus et, en effet, des recherches ont plus tard montré que l'écorce de sassafras a des propriétés analgésiques et antiseptiques. Il a été utilisé par les médecins herboristes pour traiter les rhumatismes et les éruptions cutanées, ainsi que comme désinfectant, même si cet usage ne fait pas l'unanimité.

Sarriette des jardins

Souvent associée aux haricots – son nom allemand,
Bohnenkraut, signifie « herbe à haricots » –, la sarriette
est originaire du Sud de l'Europe et du Nord de l'Afrique,
en particulier du pourtour de la Méditerranée.

CULTURE

Plantez les graines à la fin du printemps, de préférence dans un sol légèrement alcalin, et récoltez les feuilles quand les boutons de fleur commencent à apparaître.

HARMONIES GUSTATIVES

S'accorde avec l'agneau, le porc, le poulet, la dinde, le gibier, le poisson, les œufs, les oignons, les pommes de terre, les tomates, les haricots verts.

À ESSAYER

Ajoutez de la sarriette finement hachée aux salades de lentilles, de carottes crues ou de courgettes. Faites une simple marinade pour le poulet grillé en mélangeant une dose généreuse de sarriette hachée avec de l'huile d'olive et du jus de citron.

PROPRIÉTÉS

La sarriette a été utilisée pour remédier aux somnolences, aux acouphènes, à l'indigestion et aux piqûres d'abeille et de guêpe. Elle a aussi la réputation d'être aphrodisiaque : en effet, elle était l'un des ingrédients de base des philtres d'amour de l'Égypte ancienne.

LA SARRIETTE EST HAUTEMENT AROMATIQUE et est utilisée en cuisine depuis plus de 2 000 ans. Son parfum est intense et poivré, alors utilisez-la avec parcimonie. Sa proche cousine, la sarriette vivace, également appelée « poivre d'âne », a un goût plus résineux, rappelant celui de la sauge. La sarriette est souvent utilisée avec les légumes secs (ce qui n'a rien de surprenant, puisqu'elle préviendrait les flatulences) et s'accorde bien avec bon nombre d'entre eux, des pois chiches aux lentilles en passant par les haricots borlotti frais et les haricots verts. Elle s'apprécie également avec les viandes, en particulier dans les saucisses et les farces. Pour améliorer une sauce tomate, ajoutez-y un brin ou deux de sarriette. Les Français sont particulièrement friands de cette herbe, qui fait partie du mélange séché d'« herbes de Provence ».

Verge d'or

*Les verges d'or, également appelées « solidages », sont
des herbes médicinales ; leur nom de genre,* solidago,
vient du latin signifiant « qui consolide ».

CULTURE

Plantez les graines dans un sol fertile, humide et bien drainé, avec beaucoup de soleil et de l'ombre partielle. Il est possible de faire pousser la verge d'or en pot, mais elle améliorera vos plates-bandes si vous en avez.

PROPRIÉTÉS

La verge d'or est parfois recommandée en cas de rhume ou de grippe, d'allergies, de calculs rénaux, d'arthrite et de goutte. Elle est consommée en tisane faite de la plante séchée, en capsules ou en extrait liquide.

À L'ORIGINE IMPORTÉE DU MOYEN-ORIENT, la verge d'or est aujourd'hui commune en Europe et en Amérique du Nord et du Sud, où elle s'épanouit sur les terrains vagues et les bords de route. Elle peut atteindre jusqu'à un mètre de haut (mais peut aussi s'étendre horizontalement), avec des fleurs arrondies de couleur vive jaune d'or. Bien que populaire dans les plates-bandes botaniques au début du XXᵉ siècle, elle est par la suite tombée en désuétude, mais elle a trouvé un regain de popularité au XXIᵉ siècle avec la mode de l'aménagement « en prairie ». Les solidages les plus grandes, comme *Solidago gigantea* et *Solidago canadensis*, sont un excellent choix pour les parties les plus sauvages de votre jardin : elles peuvent être invasives, mais les papillons y seront à la fête.

Le folklore recommande la verge d'or aux personnes en deuil. Du point de vue médicinal, elle a été utilisée pour soigner les blessures, comme diurétique, mais aussi pour guérir la tuberculose, le diabète, l'asthme et l'arthrite. Des études récentes tendent à confirmer ses propriétés diurétiques, et elle est utilisée en cas de calculs rénaux et d'inflammations des voies urinaires.

Leurs fleurs et les feuilles peuvent être séchées pour faire des pots-pourris et des tisanes. Un usage plus surprenant est celui qui en a été fait pour les pneus : dans les années 1920, Henry Ford a donné à Thomas Edison un modèle de Ford T aux pneus faits avec de la verge d'or, qui contient du caoutchouc.

Stévia

*Cette plante feuillue de la famille du tournesol
est également appelée « chanvre d'eau ».*

CULTURE

La stévia apprécie l'ensoleillement et les sols bien drainés, avec un bon apport en eau. Elle pousse volontiers en pot, mais sa vigueur déclinera au bout d'un an ou deux. Protégez-la du gel, ou cultivez-la comme une plante annuelle. Ses feuilles ont meilleur goût si elles sont récoltées avant que la plante fleurisse.

PLANTE VIVACE TENDRE originaire de certaines régions du Brésil et du Paraguay, la stévia préfère les milieux humides et aquatiques et elle est connue pour ses feuilles à la saveur très sucrée. C'est d'elle que l'on tire le composant appelé « stévioside », un édulcorant naturel non calorique permettant de sucrer les boissons et les aliments.

Le peuple Guarani du Brésil et du Paraguay a appelé la stévia *ka'a he'ê* – littéralement « herbe sucrée » – et l'utilisait pour sucrer le *yerba maté* (infusion traditionnelle), comme médicament ou simplement pour la mâcher. Elle a été « découverte » (elle était utilisée par des peuples indigènes depuis bien longtemps) en 1887 par le botaniste suisse Moisés Santiago Bertoni. Il a écrit : « En plaçant dans la bouche la plus petite particule de n'importe quelle partie de la feuille ou de la tige, on est surpris par l'étrange goût extrêmement sucré qu'elle contient. Un fragment de la feuille de quelques millimètres carrés seulement suffit à laisser un goût sucré dans la bouche pendant une heure ; quelques feuilles de petite taille suffisent à sucrer une tasse de café ou de thé corsé. » Il a nommé la plante en l'honneur du chimiste paraguayen Ovidio Rebaudi.

Les feuilles de stévia seraient extrêmement nutritives et contiendraient du bêtacarotène, des antioxydants et des minéraux. Les feuilles de bonne qualité sont 300 fois plus sucrées que le sucre, mais avec un indice glycémique de zéro, ce qui signifie que la stévia n'entraîne pas de création ni de stockage de graisses. C'est pourquoi elle est à juste titre considérée comme primordiale dans la lutte contre le diabète et l'obésité. Cependant, c'est une herbe controversée, et elle est toujours interdite à la vente comme aliment ou comme ingrédient alimentaire dans de nombreux pays, au motif qu'elle pourrait présenter un risque cancérigène – même si cela est très discuté.

Consoude

*Avec ses larges feuilles velues, ses racines noires en forme
de navet et ses fleurs violettes en cloche, la consoude
est une herbe européenne à la croissance ultra-rapide,
mais qui a son côté obscur.*

CULTURE

Semez les graines de consoude dans des pots ou des godets sous verre, puis transplantez-les en extérieur une fois les pousses bien grandies. La consoude préfère le plein soleil et les sols riches, humides et bien drainés. Elle peut être envahissante, donc si vous ne voulez pas qu'elle prolifère, taillez-la lorsque ses fleurs se forment.

ÉGALEMENT APPELÉE « OREILLE D'ÂNE » ou «langue de vache», la consoude tient son nom du latin *symphytum*, du grec *symphis*, qui signifie «os» : la consoude a longtemps été utilisée pour soigner les fractures et accélérer la cicatrisation. Aujourd'hui, cette parente de la bourrache (page 51) est très controversée à cause des dégâts qu'elle pourrait entraîner pour le foie. Elle ne doit pas être prise par voie orale ni utilisée sur des lésions ouvertes.

Historiquement, cependant, la consoude a été plus que largement utilisée. Alexandre le Grand aurait été soigné avec. Les bains de consoude étaient chose courante au Moyen Âge. Au XVIIe siècle, on croyait que ses racines étaient si collantes qu'elles pouvaient ressouder de la viande découpée − idée assez saugrenue aujourd'hui, mais mentionnée par Nicholas Culpeper lui-même. Vers le milieu du XIXe siècle, le quaker Henry Doubleday, en cherchant de la colle pour timbres-poste, entendit parler des qualités mucilagineuses de la consoude et la cultiva en grande quantité. On ne sait pas vraiment si c'est pour cette raison qu'il y mit tant de ferveur, mais elle finit par être utilisée comme fourrage pour les animaux.

Riche en potassium, la consoude n'est plus consommée par les humains ni les animaux, même si, par le passé, elle a été utilisée pour parfumer les vins artisanaux et si, en Bavière, ses feuilles étaient mangées en beignets. La consoude a plus de chances de nourrir votre jardin que de vous nourrir vous : une fois pourries, ses feuilles sont un excellent engrais pour les plantes. Le liquide qu'elles forment alors (de la couleur du cola) peut être dilué et utilisé sur les plants de tomates ou sur tout ce qui a besoin d'un petit coup de pouce. Remarque : prévoyez une pince pour vous boucher le nez, car son odeur est nauséabonde.

Tanacetum balsamita

Menthe-coq

Également appelée « grande balsamite », la menthe-coq était extrêmement populaire en Europe au XVIe siècle. Elle était bien connue pour deux choses : les marque-pages et la bière.

CULTURE

Il est possible de faire pousser la menthe-coq à partir de graines, mais si vous avez du mal à vous procurer ces graines, achetez des plantes déjà grandies, divisez-les et plantez-les directement au jardin ou en pots. Si elle pousse à l'ombre, elle aura des feuilles plus solides. Récoltez les feuilles avant que la plante fleurisse pour avoir un goût plus agréable.

HARMONIES GUSTATIVES

S'accorde avec les œufs, les fruits de mer, le veau, le porc, le bœuf, l'agneau, le poulet, la salade, les fruits d'été.

À ESSAYER

Ajoutez quelques feuilles de menthe-coq hachées à vos farces ou salades. Parfumez-en vos boissons glacées et salades de fruits à la place de la menthe. Mélangez un peu de menthe-coq finement émincée à du beurre fondu et assaisonnez-en vos pommes de terre nouvelles cuites à la vapeur.

PROPRIÉTÉS

C'est en pommade que la menthe-coq s'utilise le plus pour soigner les boutons et les démangeaisons, ou dans l'eau du bain pour un effet relaxant. Vous pouvez fabriquer un pot-pourri calmant avec de la menthe-coq, du romarin (page 171), des clous de girofle, du laurier (page 106), de la cannelle et de la sauge (page 175).

SES TIGES RAIDES et feuillues portent des feuilles vert pâle au duvet argenté et des petites fleurs jaunes et blanches en forme de bouton qui exhalent une senteur balsamique. Les feuilles de menthe-coq se faisaient autrefois sécher entre les pages des bibles familiales – pratiques à renifler pour rester éveillé pendant les longs sermons –, d'où un autre de ses surnoms : « feuille de bible ».

La menthe-coq était à l'origine utilisée pour parfumer les bières et les vins épicés. Son parfum agréable rappelle celui des menthes, ce qui en fait une herbe très appréciable en cuisine, même si elle peut être piquante, voire amère, alors prévoyez de l'utiliser avec parcimonie. Ses feuilles peuvent également être séchées pour faire un pot-pourri.

Cette plante originaire de la Méditerranée a une longue histoire : d'après le botaniste allemand du XXe siècle Heinrich Marzell, elle fut mentionnée dans un catalogue de plantes en 812 après J.-C. Elle a été très largement cultivée dans les jardins botaniques pour ses bienfaits médicinaux, du Moyen Âge jusque tard dans le XIXe siècle, et utilisée pour soigner les maux les plus divers, comme la dysenterie, les maladies du foie et les retards de règles. Elle est aujourd'hui moins présente en Europe – même si on peut la trouver chez certains commerçants spécialisés, bien sûr –, mais elle est encore largement utilisée en Asie du Sud-Est.

Tanacetum parthenium

Grande camomille

L'herboriste Nicholas Culpeper, également astrologue,
reliait les herbes aux étoiles et aux planètes, et la grande
camomille n'y faisait pas exception.

CULTURE

Plantez-la en avril dans un sol de bonne qualité et bien drainé, enrichi de fumier. Cette plante dégage une forte odeur amère, elle n'attirera donc pas les abeilles, mais il se peut que vous y trouviez des escargots ou des limaces. Vous pouvez éloigner les premiers en répandant au sol de la cendre et de la suie, tandis qu'encourager les crapauds à venir dans votre jardin vous aidera à vous débarrasser des secondes.

À ESSAYER

Ajoutez quelques feuilles de grande camomille à une salade verte assaisonnée d'une vinaigrette au miel pour en atténuer l'amertume.

PROPRIÉTÉS

La grande camomille est réputée pour son effet préventif et son efficacité contre les migraines. En infusion, elle peut soulager les douleurs menstruelles. Prudence, cependant : manger des feuilles de grande camomille fraîche peut entraîner des aphtes, et elle doit être évitée pendant la grossesse.

À SON PROPOS, il a écrit : « C'est Vénus qui régit cette herbe et lui a ordonné de secourir ses sœurs. » Et il poursuit en prescrivant la grande camomille aux femmes pour toutes les indications possibles, notamment pour purifier l'utérus ou en cas de « maladie de la mère », suggérant qu'une décoction de fleurs de grande camomille soit ajoutée au vin avec un peu de noix de muscade et bue plusieurs fois par jour pour expulser « les chairs mortes d'avant et d'après l'enfantement ». L'accouchement, bien sûr, était beaucoup plus une affaire de vie ou de mort à l'époque de Culpeper qu'il ne l'est aujourd'hui, et il a par la suite écrit de nombreux livres de remèdes médicinaux spécifiquement pour les femmes. De nos jours, la grande camomille n'est plus guère utilisée et doit en réalité être évitée par les femmes enceintes ou par toute personne sous traitement anticoagulant, car elle peut augmenter le risque d'hémorragie.

Comme sa consœur du même nom, la grande camomille a des fleurs jaunes et blanches ressemblant à celles des pâquerettes, ainsi que des feuilles vertes aux bords ciselés. Ses tiges solides et rondes portent une fleur unique formée de petits pétales blancs autour d'un cœur central jaune. Son parfum est très fort et son goût amer : des sachets de feuilles de grande camomille séchées sont un bon antimite, tandis qu'une décoction de ses feuilles peut faire office de désinfectant ménager naturel.

Pissenlit

« Le pissenlit doit toujours son nom à ses propriétés diurétiques supposées.
En anglais, on comptait parmi d'autres noms courants le "pet de jument",
les "dames nues", les "couilles ballantes", la "pisse de chien", le "con ouvert"
et l'"éponge à fesses", dont certains survivent encore. »

Bill Bryson, *Une histoire de tout ou presque*, 2003

CULTURE

Les pissenlits poussent librement sur les pelouses des jardins et dans la nature. Vous pouvez en acheter des variétés gastronomiques, souvent appelées « améliorées », comme l'« amélioré à cœur plein » ou le « vert de Montmagny amélioré », dont les degrés d'amertume varient. Celles-ci ont tendance à être moins envahissantes.

HARMONIES GUSTATIVES

S'accorde avec la betterave, la laitue, le bacon, le fromage à pâte molle, les noix, les légumes secs, les œufs, le riz.

À ESSAYER

Faites revenir de jeunes feuilles de pissenlit à la poêle, comme des épinards. Ajoutez de jeunes feuilles de pissenlit crues à une salade verte avec des lardons et une sauce à la moutarde, recouverte d'un œuf poché si vous le souhaitez. Ajoutez les pétales à une frittata ou parsemez-en vos plats de riz en guise de garniture.

PROPRIÉTÉS

Une décoction de pissenlit peut avoir des effets bénéfiques en cas d'arthrose, d'acné et de psoriasis, ainsi que pour stimuler le foie. Une infusion de feuilles de pissenlit peut aider à réguler la pression artérielle. Les feuilles peuvent être ajoutées aux jus de fruits pour leurs effets antioxydants, ou utilisées seules en grande quantité.

Le pissenlit est l'une des plantes médicinales les plus utiles, car il est à la fois sans danger et efficace. Ses racines sont laxatives et ses feuilles diurétiques, et ses fleurs peuvent être bouillies avec du sucre pour soigner la toux. Le premier usage médicinal du pissenlit a été consigné au Xᵉ siècle. Depuis, il a été recommandé pour toutes sortes de maux, comme les verrues, les problèmes de foie, mais aussi de reins. Ce qui n'est à vrai dire pas étonnant, puisque cette herbe, souvent considérée à tort comme une mauvaise herbe, est riche en vitamines A, B, C et D. Elle contient en effet plus de vitamine A que la carotte.

Non seulement ses feuilles à l'agréable amertume et ses fleurs douces et croquantes peuvent être utilisées en cuisine, mais ses racines peuvent également être séchées et grillées pour faire du café de pissenlit – qui ne ressemble en réalité en rien au café. Utilisez ses feuilles avec parcimonie, car elles peuvent être amères ; vous pouvez les couvrir d'un seau lorsqu'elles poussent pour les blanchir et en réduire l'amertume.

Outre ses édifiants surnoms, le pissenlit s'appelle en anglais *dandelion*, du français « dent de lion », même si le poète et herboriste Geoffrey Grigson a fait part à ce sujet de son incrédulité : « Mais y a-t-il vraiment quelque chose qui évoque un lion ou une dent dans ces feuilles ? »

Thym

« Je connais une rive où croît le thym sauvage. »

WILLIAM SHAKESPEARE, *Songe d'une nuit d'été*

CULTURE

Le thym a besoin d'un sol sableux et bien drainé, et d'autant de soleil que possible. Cueillez-en régulièrement les feuilles pour l'empêcher de devenir trop dur.

HARMONIES GUSTATIVES

S'accorde avec la volaille, le porc, l'agneau, le bœuf, le gibier, le poisson, les poireaux, la patate douce, la courge, les carottes, les pommes de terre, la betterave, le céleri, le céleri-rave, les aubergines, les tomates, les lentilles, les haricots secs, le fromage, la crème, les œufs, les pâtes, le chocolat, l'orange, le citron, les pommes.

À ESSAYER

Ajoutez une cuillerée à café de feuilles de thym et une poignée d'éclats de chocolat blanc à un gâteau au citron. Décorez-le avec un glaçage au citron et quelques fleurs de thym, si vous en avez.

PROPRIÉTÉS

Une infusion de thym ordinaire peut soulager le rhume, le rhume des foins et le syndrome de l'intestin irritable. Utilisez-la en gargarisme en cas de mal de gorge.

AU MOYEN ÂGE, on mettait du thym sous les oreillers pour favoriser la qualité du sommeil, et les femmes en donnaient des bouquets aux chevaliers pour éveiller leur courage (les chevaliers le portaient sur leurs vêtements ou leur armure comme insigne d'honneur). Pas étonnant que le thym ait été l'herbe à tout faire pendant la peste noire des années 1340 : le thymol, puissant antiseptique contenu dans cette plante, est aujourd'hui encore utilisé dans les bains de bouche, les savons et les soins contre l'acné.

Cette herbe aromatique de petite taille aux brindilles minces et cassantes pousse à l'état sauvage sur les collines chaudes et arides du Bassin méditerranéen. Il existe de très nombreuses variétés de thym à essayer, dont *Thymus broussonetii* aux senteurs de pin, *Thymus caespititius* au goût de mandarine et *Thymus pulegiodes*, aux feuilles larges, dont l'origan est une variété. Mais le plus agréable de tous est probablement *Thymus vulgaris*, ou thym ordinaire des jardins, à la merveilleuse aptitude à se faire sentir sans masquer les autres ingrédients. C'est peut-être pour cette raison que le thym est un ingrédient essentiel du bouquet garni, avec le laurier et le persil. Attachées ensemble par une ficelle et ajoutées aux plats mijotés, ces herbes résistent à la cuisson lente mieux que n'importe quelles autres. Le thym est aussi un classique dans les farces et les marinades, qu'il parfume tout en douceur, sans se faire accaparant. Tout comme le romarin, le thym s'accorde étonnamment bien avec le chocolat.

Za'atar est le nom arabe du thym sauvage, mais aussi le nom d'un mélange d'épices fait de thym sauvage, de sel, de sumac et parfois de graines de sésame et d'autres herbes. Il est saupoudré sur les plats pour les parfumer, ou dégusté tout simplement en trempant de la pita dans de l'huile d'olive, puis dans un petit bol de *za'atar*.

Thym citron

*Pour une note de fraîcheur acidulée, le thym citron est l'herbe
idéale entre toutes : il apporte un plus très appréciable à tout
jardin botanique et trouve mille usages en cuisine.*

À ESSAYER

Faites une vinaigrette au thym citron : mélangez deux cuillerées à soupe de jus de citron à quatre cuillerées à soupe d'huile d'olive, une cuillerée à soupe de feuilles de thym citron, du sel et du poivre. Servez avec du poisson ou du poulet grillé, ou encore des pommes de terre nouvelles, des carottes, des courgettes ou des haricots verts.

PROPRIÉTÉS

Pour faire une tisane de thym citron, infusez des feuilles séchées ou fraîches dans de l'eau portée à ébullition pendant cinq minutes, puis égouttez.

PETIT BUISSON TRAPU à feuillage persistant et à croissance plutôt lente, le thym citron a, ainsi que son nom l'indique, un goût citronné, qui est à son maximum juste avant sa floraison. Comme pour toutes les herbes, il est préférable de récolter ses feuilles le matin, quand elles sont saturées de parfum (les huiles essentielles s'évaporent sous la chaleur du soleil). Le thym citron apporte le meilleur de ses deux homonymes en cuisine, alliant la douceur du thym à la subtilité du citron, sans l'amertume de l'un ou de l'autre.

Les douces notes d'agrumes du thym citron en font une herbe idéale à mettre sous la peau d'un poulet avec une généreuse dose de beurre avant de le faire griller, mais aussi pour accompagner le poisson et les fruits de mer. C'est l'un des meilleurs thyms à utiliser dans les recettes sucrées : essayez-le dans les tartes, les biscuits, les desserts crémeux et les gâteaux. Quelques feuilles plongées dans les cocktails sont également appréciables, et vous pouvez en ajouter un brin pour décorer le verre. Il apporte une petite touche de verdure et d'authenticité à la limonade maison.

Cette plante est utilisée par les herboristes comme tisane pour soigner les infections et les congestions, grâce à ses composants essentiels : géraniol, esters, citronellol, citral et thymol.

Ortie

*Cette plante vivace très résistante perd son
caractère urticant à la cuisson. Elle est idéale en soupe,
dans un risotto ou même un pesto.*

CULTURE

Allez les cueillir dans la nature, sans oublier d'emporter des gants. Préférez les nouvelles pousses de mars et d'avril, et n'en cueillez que les pointes – les quatre à six premières feuilles sur chaque tige. Ne les mangez pas une fois qu'elles ont commencé à former des fleurs, à partir de fin avril, car elles deviennent alors trop âpres.

HARMONIES GUSTATIVES

S'accorde avec le riz, les fromages à pâte molle, les œufs, les pommes de terre, l'ail, les oignons, le poisson, le poulet.

À ESSAYER

Passez brièvement les orties à l'eau bouillante, puis égouttez-les et pressez-les pour les faire dégorger, comme les épinards. Ajoutez-les aux risottos, aux purées de pommes de terre avec du beurre, aux omelettes et aux frittatas.

PROPRIÉTÉS

Il existe un traitement appelé « urtication » consistant à fouetter les articulations arthritiques avec des orties : il est douloureux, mais des études montrent qu'il a des bienfaits. Veillez seulement à ne le pratiquer qu'avec un avis médical. Une infusion d'ortie peut être efficace contre les rhumatismes et l'eczéma, ou en rinçage capillaire contre les pellicules. En teinture, elle soulagerait le rhume des foins.

MALGRÉ LE RISQUE de se faire piquer, les humains ont beaucoup cueilli l'ortie (dont le nom vient du latin *uro*, qui signifie «brûlure») : elle a été utilisée pour faire du tissu, une teinture de camouflage vert foncé et des remèdes contre la chute de cheveux et les pellicules. Curieusement, ces orties piquantes adorent les humains : elles ont besoin de phosphates dans le sol pour s'épanouir, elles apprécient donc beaucoup nos décharges et nos enclos à bétail riches en phosphates.

L'herboriste du XVIIᵉ siècle William Salmon a suggéré que les orties avaient fait leur apparition en Angleterre à Romney, dans le Kent, où «Jules César et ses soldats se sont un temps établis, ce qui aurait donné à la ville son nom, puisqu'ils l'appelaient entre eux Romania». Il semblerait que ces soldats se fouettaient avec des orties pour faire circuler leur sang par temps froid.

Les orties perdent leur piquant en quelques secondes lorsqu'on les met dans la casserole, et elles valent la peine d'être consommées pour leurs nombreux atouts nutritionnels. Intégrez-les simplement à une soupe, ou faites-les cuire comme des épinards. Leur teneur en vitamine C et en fer est supérieure à celle des épinards et des brocolis. La tisane d'ortie est une boisson énergisante naturelle, réputée bonne pour le cœur et contre les migraines, la tension artérielle, les inflammations cutanées et même le rhume des foins.

Valériane

*Elle sent peut-être la chaussette sale, mais la valériane
a toutes sortes de bienfaits médicinaux, pour les humains
comme pour les créatures à quatre pattes.*

CULTURE

Ses racines puantes aiment rester humides et au frais pendant l'été, alors plantez les graines dans un sol qui ne s'assèche pas, au soleil ou à l'ombre partielle.

PROPRIÉTÉS

Une tasse de décoction de racine de valériane avant le coucher peut éviter l'insomnie. En compresse, elle apaise les crampes musculaires. Elle peut être prise sous forme de tisane, de teinture, de capsules ou de comprimés en cas de rhume, de fièvre, de difficultés ou sifflements respiratoires. Ne pas en prendre sur une période prolongée ou en cas de grossesse.

ORIGINAIRE D'EUROPE ET D'ASIE DE L'OUEST, mais aujourd'hui également implantée en Amérique du Nord, la valériane, plante vivace fleurie de taille modeste, pousse dans les prairies, les fossés et les prés humides. Ses fleurs au parfum sucré sont rose pâle ou blanches, et on peut la repérer facilement à ses feuilles régulières symétriques à longues franges. Il arrive exceptionnellement que les feuilles de la valériane soient asymétriques, à la fois latéralement et par rapport à la tige.

La valériane a toutes sortes de noms : «tagara», «herbe de Saint-Georges», «herbe-aux-chats» ou «herbe à la meurtrie». Ses racines dégagent une odeur nauséabonde lorsqu'on la déterre. Cette herbe est un véritable élixir pour les chats, encore plus que la cataire (page 134) : trois gouttes de décoction de valériane ajoutées au bol d'eau d'un chat anxieux suffisent à l'apaiser. Les chiens, les chevaux, les rats et les souris seraient tous apaisés par la valériane, ce qui explique la légende selon laquelle le petit joueur de flûte de Hamelin en avait des racines sur lui pour attirer les rats.

Nicholas Culpeper a écrit que la valériane «bouillie avec de la réglisse, des raisins secs et anisée» était bonne pour les personnes «au souffle court» ou souffrant de toux, mais aussi pour évacuer «les vents de l'estomac». On dit qu'elle a été le valium du XIXe siècle, en partie en raison de ses qualités sédatives : elle contient un ensemble d'ingrédients appelés «valépotriates», qui inhibent la décomposition d'un tranquillisant naturel. La tisane de valériane, que l'on trouve en supermarché, améliorerait la qualité du sommeil sans entraîner de torpeur au réveil.

Verveine

Puissante protectrice contre les démons et les maladies au Moyen Âge, la verveine est même citée dans un dicton de cette époque : « Verveine et aneth, la volonté des sorcières, stoppez net. »

CULTURE

Semez ses petites graines en intérieur au début du printemps et transplantez-les en extérieur une quinzaine de jours après la dernière gelée. Veillez à ce que le sol reste humide.

PROPRIÉTÉS

Une infusion de verveine peut améliorer la digestion et faire baisser la fièvre, et en teinture, elle peut soulager le stress, l'anxiété et la dépression. En crème, la verveine peut être utilisée sur l'eczéma et les blessures.

LA VERVEINE EST une plante vivace originaire des régions méditerranéennes, parée de petites fleurs mauve pâle. Également appelée « herbe sacrée », « veine de Vénus » ou « herbe aux sorcières », c'est l'herbe de la magie. Les Égyptiens croyaient qu'elle était née des larmes d'Isis, déesse des morts et de la guérison, les Romains l'utilisaient pour purifier leurs autels après les sacrifices, les druides l'ajoutaient à leur eau lustrale, et elle a été utilisée par les magiciens et sorciers dans divers rites et incantations. Froissée, la verveine – ou « herbe aux enchantements » – se portait autour du cou en guise de protection contre les maux de tête et les morsures de serpent, ainsi qu'en porte-bonheur universel. La légende dit qu'elle a été utilisée pour arrêter les saignements du Christ lors de sa crucifixion.

Étant donné toute la symbolique et tout le mystère entourant cette plante, il n'est pas étonnant qu'on lui prête des qualités aphrodisiaques, mais aussi qu'elle soit réputée réguler les cycles menstruels capricieux et autres maux ayant trait au sang et à la passion. Elle a traditionnellement été utilisée pour renforcer le système nerveux et soigner l'épuisement nerveux. En cataplasme, elle serait bénéfique en cas de migraine, de rhumatismes et d'hémorroïdes. Dans certaines régions françaises, on dit de la tisane de verveine au goût légèrement astringent qu'elle améliore le sommeil, l'humeur et la digestion. Gardez à l'esprit qu'il n'y a pas eu (ou très peu) d'études menées sur les effets de la verveine sur les femmes enceintes ou qui allaitent, il leur est donc recommandé de l'éviter.

Viola tricolor

Pensée sauvage

Cette herbe aux superbes fleurs tricolores a de très nombreux surnoms évocateurs et imaginatifs.

CULTURE

La pensée sauvage se ressème et pousse bien en pot comme en terre. Plantez-la par un temps frais de printemps, à un emplacement ombragé et humide.

À ESSAYER

Utilisez les fleurs, fraîches ou cristallisées, pour décorer vos gâteaux et desserts. Pour les cristalliser, badigeonnez les pétales avec du blanc d'œuf légèrement battu, recouvrez-les de sucre en poudre et laissez-les sécher une nuit sur du papier sulfurisé. Geoffrey Grigson recommande de glisser ces fleurs entre les pages d'un livre, comme le faisaient les Anglais à l'ère élisabéthaine : vous obtiendrez un marque-page végétal dont le parfum ressort en séchant.

PROPRIÉTÉS

Ajoutée aux sirops pour la toux, la pensée sauvage peut soulager le mal de gorge, le rhume et la bronchite. Tout comme les autres espèces de violettes, la pensée sauvage, écrasée et appliquée en cataplasme, est parfois utilisée pour soigner les problèmes de peau et la chute des cheveux.

ÉGALEMENT APPELÉE «PENSÉE des champs», «fleur de la trinité», «violette sauvage» ou «violette tricolore», elle est l'ancêtre de la pensée cultivée. En anglais, ses surnoms ont des connotations amoureuses («embrassez-moi vite», «amour ensanglanté») et, en français, l'imagination prêtant volontiers une personnalité aux plantes, sa forme évoquant un visage a inspiré le nom de «pensée».

Fleur sauvage d'Europe et d'Amérique du Nord, la pensée pousse sur les terrains vagues, dans les champs et les bosquets. Ses magnifiques fleurs sont violettes, jaunes ou blanches, ou, le plus souvent, des trois couleurs à la fois. Les pétales supérieurs, violets, sont les plus voyants, tandis que les inférieurs sont plutôt jaunes. Bien qu'elle soit apparentée à la violette, la pensée sauvage ne produit pas de fleurs cléistogames (qui s'autopollinisent) comme elle. Astucieusement, la fleur se protège de la pluie et de la rosée en baissant la tête par temps humide et la nuit, son «visage» évite ainsi d'être trop mouillé.

Les fleurs de pensée sauvage sont comestibles − si vous avez le cœur à manger quelque chose d'aussi joli ! − et ont un goût légèrement sucré. La pensée sauvage a également de très nombreuses applications médicinales. Avec de puissantes propriétés anti-inflammatoires et diurétiques, elle est souvent utilisée pour une stimulation douce des systèmes circulatoire et immunitaire.

LES HERBES
EN PRATIQUE

Les herbes en pratique

LES SYMPTÔMES ET LES HERBES

Soin de la peau et des cheveux . . . . Souci, lavande, ortie, thym

Digestion . . . . Fenouil, menthe poivrée, camomille, reine-des-prés, guimauve

Maladies cardio-vasculaires . . . . Ortie, gingembre, achillée millefeuille, romarin

Toux, rhume et grippe . . . . Ail, achillée millefeuille, échinacée, thym, sauge

Premiers soins . . . . Souci, camomille, échinacée

Muscles et articulations. . . . . Reine-des-prés, romarin, millepertuis

Mental et émotions . . . . Millepertuis, mélisse, verveine, lavande

Grossesse. Camomille, lavande, souci, aneth

Santé féminine. . . . . Alchémille, camomille, rose, verveine

Santé masculine. . . . . Ginkgo, ginseng, ortie

LA SYMBOLIQUE DES HERBES

Courage . . . . Basilic, ciboulette, ortie

Santé. . . . . Angélique, coriandre, graine de coquelicot, camomille

Paix . . . . Marjolaine, menthe, sauge, mélisse

Voyage . . . . Cumin, aneth

Fertilité . . . . Menthe, coriandre

Clairvoyance. . . . . Citronnelle, marjolaine

Chance. . . . . Consoude

Protection . . . . Angélique, basilic, laurier, aneth, ail, menthe

Bonheur. . . . . Grande camomille, menthe

Argent . . . . Basilic, aneth, menthe verte, chèvrefeuille, camomille

Succès . . . . Laurier, livèche, camomille, romarin

LES HERBES POUR LE BIEN-ÊTRE

Rosemary	*Echinacea*
St John's wort	*Ginseng*
Garlic	*Ginkgo*
Holy basil	*Camomile*
Sage	

LES HERBES POUR LA BEAUTÉ

Masque pour le visage . . . . . Lavande, calendula

Gommag pour le visage . . . . . Rose, lavande, fleur de sureau, camomille

Spray pour le visage . . . . Aloe vera, romarin, menthe, aneth, persil, fleur de sureau

Bain de pieds . . . . Cynorhodon, laurier

Friction corporelle . . . . Lavande, romarin, calendula, camomille

Bain corporel . . . . Ortie, achillée millefeuille, menthe, camomille, souci, armoise, marjolaine

Tonique capillaire . . . . Calendula, consoude, romarin, sauge, bourrache, ortie, basilic

Poudre corporelle . . . . Calendula, lavande, sauge

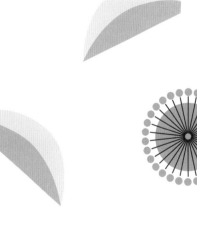

HERBES ET SAVEURS

Rafraîchissant	Persil, pourpier, bourrache, pérille, mitsuba, arroche
Sucré	Souci, basilic, laurier, angélique, géranium odorant, aspérule, lavande
Acidulé	Mélisse, sassafras, oseille, houttuynie, ambulie aromatique
Réglisse	Cerfeuil, estragon, aneth, fenouil, hysope
Menthe	Menthe, calament, cataire
Oignon	Ail, ciboulette
Amer	Céleri, livèche, hysope, chicorée
Épicé	Origan, marjolaine, romarin, sauge, thym, sarriette, microméries, coriandre
Verdure	Roquette, claytonie, cresson de fontaine, persil, fenouil

HERBES À TISANE

Menthe poivrée	*Ortie*
Camomille	*Fleur de sureau*
Mélisse	*Romarin*
Pissenlit	*Verveine*
Cynorhodon	*Houttuynie*

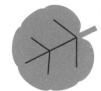

HERBES À COCKTAIL

Basilic . . . . Avec de la rhubarbe et de la vodka

Lavande . . . . Avec du miel, de l'amaretto et du rhum blanc

Menthe . . . . Avec de la fraise, du kiwi et du rhum

Fleur de sureau . . . . Avec du gin et de la menthe

Coriandre . . . . Avec de l'ananas, de la tequila et du citron vert

Verveine citronnelle . . . . . . Avec du gin, de l'eau gazeuse et du citron vert

Origan . . . . Avec du rhum blanc et de l'ananas

Thym . . . . Avec du sirop de mûre et du prosecco

Citronnelle . . . . Avec du gingembre, du gin et de la liqueur amère

Romarin . . . . Avec de la figue, de la vodka, du citron et de l'eau gazeuse

HERBES À EAU AROMATISÉE

Basilic . . . . Avec de la fraise

Menthe . . . . Avec des myrtilles, de la pêche et du citron

Sauge . . . . Avec des mûres

Romarin . . . . Avec de la pastèque

Menthe . . . . Avec du concombre et du citron vert

Citronnelle . . . . Avec du concombre

Romarin . . . . Avec de la framboise

Menthe . . . . Avec de l'ananas

Basilic . . . . Avec du citron vert